CÁTIA DAMASCENO

# Bem resolvida

*Sinta-se mais confiante e realizada na cama e fora dela*

Rio de Janeiro | 2022

Copyright © 2019 por Cátia Damasceno
Todos os direitos desta publicação são reservados à Casa dos Livros Editora LTDA. Nenhuma parte desta obra pode ser apropriada e estocada em sistema de banco de dados ou processo similar, em qualquer forma ou meio, seja eletrônico, de fotocópia, gravação etc., sem a permissão do detentor do copyright.

Diretora editorial: *Raquel Cozer*
Coordenadora editorial: *Malu Poleti*
Editora: *Diana Szylit*
Edição de texto: *Milene Chaves*
Copidesque: *Carol Vieira*
Revisão: *Renata Lopes Del Nero*
Capa, projeto gráfico e diagramação: *Renata Vidal*
Fotos de capa: *Rodrigo Takeshi*
Produção de moda: *Bibi Lessa*
Cabelo: *Barbara Meinhard*
Maquiagem: *Alice Salazar*
Ilustrações: *Don Barbosa (p. 92, 98, 136, 142, 163, 168, 235, 236); Denissenko Oleg/ Shutterstock (p. 94); Renata Vidal (p. 97); macrovector/Freepik (adaptada, p. 102); Tashsat/ Shutterstock (verso da capa e aberturas de capítulo)*

Os pontos de vista desta obra são de responsabilidade de seu autor, não refletindo necessariamente a posição da HarperCollins Brasil, da HarperCollins Publishers ou de sua equipe editorial.

DADOS INTERNACIONAIS DE CATALOGAÇÃO NA PUBLICAÇÃO (CIP)
Angélica Ilacqua CRB-8/7057

D162b

    Damasceno, Cátia
       Bem resolvida : sinta-se mais confiante e realizada na cama e fora dela / Cátia Damasceno. — Rio de Janeiro : HarperCollins Brasil, 2019.
       256 p. : il.

    Bibliografia
    ISBN 978-85-9508-645-6

    1. Relações sexuais — Miscelânea 2. Autoestima 3. Autoconfiança 4. Saúde da mulher 5. Damasceno, Cátia, 1976 - Biografia I. Título.

19-2024

CDD 306.7
CDU 392.6

HarperCollins Brasil é uma marca licenciada à Casa dos Livros Editora LTDA.
Todos os direitos reservados à Casa dos Livros Editora LTDA.
Rua da Quitanda, 86, sala 218 — Centro — Rio de Janeiro, RJ — CEP 20091-005
Tel.: (21) 3175-1030
www.harpercollins.com.br

♥

*Ao meu saudoso pai, Maury,*
*e à melhor mamis do mundo, Damares,*
*que me ensina sobre amor todos os dias.*

# Sumário

7     FRIO NA BARRIGA

13     PRELIMINARES
17     Minha história

37     AUTOESTIMA
39     Você gosta... de você?
42     Foque nas virtudes
55     Dê menos ouvido (e não se vitimize)
66     Perdoe. Perdoe-se
72     Permita-se
80     Diga "não"

87     SEXUALIDADE
89     O que é ser boa de cama, afinal?
108     Prazer, orgasmo
119     Pompoarismo (ou: oi, poderosa, bem-vinda ao clube!)
125     Mas que exercício é esse afinal?
135     Agora é que são eles: o corpo masculino
144     Fingir, jamais
147     Usar camisinha, sempre

| | |
|---|---|
| 151 | **RELACIONAMENTO** |
| 153 | Estamos de acordo? |
| 155 | Sedução: tudo o que você precisa saber |
| 178 | Homens: quem são? Onde vivem? Do que se alimentam? |
| 190 | Quem não se comunica... |
| 206 | O relacionamento ideal |
| 215 | Terminou, e agora? |
| 225 | **#CATIARESPONDE** |
| 251 | **E ENTÃO, O QUE VOCÊ RESOLVEU?** |
| 255 | **REFERÊNCIAS** |

# Frio na barriga

Ufa, finalmente o começo! Como assim? É o que você deve estar se perguntando. Pois é, apesar destas serem as primeiras páginas que você lê, são as últimas que escrevi. Explico: esbocei a apresentação algumas vezes — obviamente, tentei começar por ela —, mas, conforme escrevia o livro, conforme ele saía da minha cabeça (por meio de gravações de áudio, bilhetes e anotações para mim mesma) em direção a estas páginas, fui vivenciando e experienciando tantas coisas que resolvi deixar o começo para o final.

Bem, esclarecido isso, vamos aos fatos.

Olá, tudo bem? Se você ainda não me conhece, meu nome é Cátia Damasceno. Você vai descobrir que adoro contar histórias, então vamos à primeira de todas. Esta história de livro começou porque no mundo há muitas pessoas loucas (obrigada, Senhor, porque não sou a única). Um belo dia, uma louca, minha editora, Renata, foi atrás do meu contato e conseguiu, o que não é uma missão muito fácil (já gostei dela, porque é determinada). Me ligou, disse que assistia aos meus vídeos, que gostava muito do meu conteúdo e que tinha uma proposta a fazer. Algum tempo depois, nos encontramos, e ela disse que seria muito interessante se eu escrevesse um livro. Oi?! Quem? Eu? Escrever um livro? Para quê, gente? Com que objetivo? Para quem? Foram tantos questionamentos, passando tão rápido na minha cabeça, que até soltei um

"Nem conteúdo para isso eu tenho". Nessa hora, a Renata, que é bem branquinha, ficou vermelha igual um pimentão — típico de nós, branquelas —, jogou o corpo para trás na cadeira (olha eu já fazendo a leitura corporal da pessoa), olhou para mim e disse: "Eu não acredito que você falou isso. Você já se assistiu? Como assim você tem coragem de dizer que não tem conteúdo?".

Parei para analisar o meu próprio pensamento e me questionei. Qual era o meu medo? Todos nós, seres humanos temos algum medo. É ele que nos faz chegar até onde chegamos; que nos faz sobreviver, que nos protege. Mas, se for grande demais, ele nos paralisa e nos impede de fazer conquistas grandiosas (aliás, devemos nossa história a muitos homens e mulheres que não ficaram paralisados pelo medo, que se lançaram em busca de sonhos e aventuras). Pedi um tempo para pensar e, poucos dias depois, começou a nossa relação. Não sei se é pelo fato de trabalhar na área, mas praticamente tudo vira uma oportunidade de fazer analogia com relacionamento. Primeiro, nos conhecemos por uma ligação (mas poderia muito bem ter sido um aplicativo de paquera, vai comparando); depois desse primeiro *match*, trocamos algumas mensagens, marcamos o primeiro encontro e finalmente veio o pedido de namoro: "Você quer escrever um livro?". Como veremos no capítulo "Sedução", saber jogar é uma arte. Pedi um tempo para pensar na proposta, fui para casa e, ao contrário do que acontece na maioria dos relacionamentos, eu realmente pensei bastante antes de finalmente aceitar o pedido dela.

O que experienciei ao escrever estas mais de duzentas páginas foi inimaginável a princípio. Tive medo de não dar conta, mas ao mesmo tempo me senti instigada pelo desafio de fazer algo novo, algo que nunca tinha feito e que poucas pessoas no mundo já fizeram — adoro um desafio com propósito. Eu me diverti várias vezes, eu ri sozinha no quarto, eu chorei algumas vezes recordando memórias, eu chorei de novo de saudade, me lembrando do meu pai, a quem faço tantas referências ao longo deste livro. Daí eu ria novamente. Eu me inspirei, me senti tão útil, me senti tão inteligente, tão poderosa por poder colocar no papel tantas coisas interessantes; por reunir o conhecimento que adquiri a partir da minha experiência pessoal, principalmente, mas também por meio de tantos cursos e de tantos anos de profissão na área de sexualidade e relacionamento.

Como nem tudo são flores, também tive raiva, me estressei como nunca com os tais prazos e revisões — é um tal de livro vai, livro vem, e aprova uma coisa e reprova outra, e o prazo chegando, e escreve entre uma gravação e outra, e escreve no voo, no aeroporto, no feriado, no fim de semana. Tive direito até a bloqueio criativo, desses que eu achava que só existiam em filme, quando o autor senta na frente do computador e não sai nada. Pode ter certeza de que também tive vontade de desistir quando a pressão ficou grande demais...

E é aí que entra você. Foi você, alguém que nem conheço, mas que está aí dedicando seu tempo a ler o que eu dediquei tempo a escrever, que me deu forças para superar cada uma das dificuldades; que me motivou a não desistir e passar "só mais uma madrugada" escrevendo. A você, eu sou extremamente grata. Grata pelo seu tempo de se dedicar a essa leitura, grata por me permitir fazer parte da sua história e, assim, me ajudar a continuar cumprindo a minha missão de vida: *despertar nas mulheres o que elas têm de melhor em todas as áreas da vida.*

Espero de verdade que você se permita sentir tudo o que há para ser sentido durante a leitura; que você ria, que se divirta, que se emocione, que se conheça. Vale até ter raiva de mim por alguns questionamentos. Mas espero também que, quando chegarmos juntas lá na última página, você possa sentir exatamente o que estou sentindo agora: a emoção de quem não desistiu de si mesma. E que você tenha coragem de encarar os seus medos, seus desafios, suas alegrias. De ressignificar sua própria história e de fazer dela a história de uma mulher bem resolvida. Te encontro lá no final, pode ter certeza!

Obs.: estou chorando de novo, mas agora é de alegria.

# Preliminares

Tenho alguns recados rápidos antes que você vire a página. E vou ser rápida mesmo, pois temos muito trabalho a fazer!

O primeiro deles diz respeito à escolha de considerar, em todos exemplos do livro, que o parceiro da mulher é um homem. Quando falo em um "cara", estou sendo aparentemente específica, mas genérica no fundo. Se você estiver em um relacionamento homoafetivo, por favor, não se sinta excluída do livro, de forma alguma. Seja também uma guia para a sua companheira. O motivo de a referência do meu trabalho ser um casal heterossexual está, apenas, no fato de que esse tipo de relação ainda é a maioria das que vemos por aí. Mas aqui não há espaço para preconceitos. Então, se for o caso, peço que substitua "gato, marido, namorado, homem" por "gata, esposa, namorada, mulher".

Quem já participou dos meus cursos, assistiu a palestras e espetáculos ou me segue nas redes sociais já sabe que, para mim, não tem pepeca nem xoxota. Tem cherolaynne! Lê-se *xerolaine*. Aprendi a chamá-la assim por conta de um comentário no YouTube, no quadro #catiaresponde, que vai ao ar sempre aos domingos e é o mais famoso do meu canal — você vai ver algumas dessas dúvidas respondidas ao final do livro. Um belo dia, leio inadvertidamente em vídeo a pergunta enviada pela seguidora, que dizia: "Cátia, quando estou fazendo sexo, a minha cherolaynne…". Nem consegui ler o resto da pergunta, ative-me a essa palavra, escrita assim mesmo, com cê + agá, ípsilon e dois enes. Ri muito, e, a partir de então, o órgão sexual feminino, que antes eu chamava de Gina, oriundo de "vagina", para sempre se tornou cherolaynne no meu vocabulário e no daquelas que me seguem assiduamente. Ah! Não se assuste se vir, entre um texto e outro, o substantivo masculino "Brad Pinto". É ele mesmo. Mas, veja bem, o apelido elogioso para pênis, que também foi sugerido pela audiência do canal, só é usado quando ele está em ótima forma, atuando com chances de concorrer ao Oscar.

# MINHA HISTÓRIA
## *De bem mal resolvida...*

O ano é 2019, e falo de sexo com a maior naturalidade do mundo. Sou uma Mulher — sim, com M maiúsculo — independente e me sinto realizada profissional e pessoalmente. Ajudo literalmente milhares de mulheres (e vários homens!) que me assistem ao redor do planeta. Atualmente, tenho mais de 5 milhões de inscritos no meu canal do YouTube e mais de 2 milhões no Instagram. Isso além do público de palestras, da minha peça de teatro (o *stand-up* de comédia *O que pode dar errado na cama*), dos cursos on-line e da quantidade de pessoas que me assiste nos programas de TV e que lê minhas colunas em sites e revistas. Tenho quatro filhos — não, você não leu errado, é isso mesmo, quatro filhos —, um casamento feliz, uma vida sexual plena e um visual que comunica exatamente quem sou. Agora, tenho também um livro no currículo. Sabe quando eu poderia sonhar que minha vida se transformaria desse jeito? *N-U-N-C-A.*

Se há algo de que tenho certeza é que minha história, exatamente do jeitinho que aconteceu, me trouxe até aqui.

*Já quero aproveitar para dividir a primeira lição
que aprendi e que uso todos os dias: no final, o que
vai fazer a diferença não é o que acontece com você,
mas o que você faz do que acontece com você.*

Por que estou falando isso? Porque eu poderia simplesmente ser apenas mais uma mulher sem nenhuma informação sobre a vida, que passou por um relacionamento abusivo e vive se lamentando. Mas não foi isso o que fiz da minha história. Deixa eu te contar.

Nasci em Brasília em 16 de março de 1976 (se quiser me mandar presente, fique à vontade! Presente é a minha segunda linguagem do amor, vamos falar sobre isso mais para a frente). Meu pai era militar e foi transferido do Rio de Janeiro para Brasília, onde prestou concurso para trabalhar como funcionário público. Minha mãe, costureira, veio do Rio Grande do Norte, também tentando a sorte na capital recém-inaugurada, junto com meus avós e seus treze irmãos mais novos, a quem ela sempre tinha que dar o "bom exemplo". Além de ser filha de militar e de uma mamis bem do interiorzão nordestino — cheia de crendices do tipo: quando estiver menstruada, não pode andar descalça, nem lavar o cabelo, nem chupar limão, porque tudo isso talha a menstruação —, ainda tive uma criação religiosa bem certinha. Fui batizada, fiz primeira comunhão e fui crismada na Igreja Católica e cantei no coral até os 17 anos. Tenho um irmão homem mais novo. Sei que é pleonasmo falar irmão homem, mas é que essa informação é bem relevante, pois, mesmo ele sendo três anos mais novo do que eu, quantas milhares de vezes eu pedia ao meu pai para sair e ele dizia "não"? Aí se passavam dez minutos, lá vinha meu irmão pedir a mesma coisa e ganhar um "sim" como resposta. Quando eu perguntava por que ele podia e eu não, a resposta era bem simples: "Porque seu irmão é homem". Por aí já se vê que havia uma diferença de tratamento na nossa criação, e que sexo não era um assunto a ser falado, conversado ou sequer citado na minha casa. Meu pai sempre foi muito rígido comigo.

Além de ter sido, como a maioria das mulheres da minha idade (acontece com as mais novas também), sexualmente reprimida desde a infância, eu definitivamente não me achava bonita. Sempre fui ruiva, ruivinha da silva, alaranjada (sim, meu cabelo é dessa cor desde o dia em que nasci, por isso não dá para te contar a cor da tinta que eu uso). Além disso, sempre fui muito magra, magricela meeeesmo. Onde quer que estivesse, era sempre a menina diferente, e não era um diferente positivo, era diferente do tipo esquisita, "aquela ruiva". Foi sem um mínimo de autoestima e amor-próprio que me casei com meu primeiro namorado aos 21 anos de idade, por medo de não encontrar mais ninguém que tivesse a coragem de se casar comigo. Meu desespero ficava ainda maior porque meu pai dizia que eu só poderia me casar depois de formada. Pois bem, me formei no dia 19 de dezembro e me casei no dia 20. Demorei para engatar em uma profissão, para gostar das minhas características físicas, para aprender a conquistar um homem, para me sustentar sozinha e me responsabilizar pelo meu caminho no mundo. Demorei para me resolver, enfim. E de onde essa Cátia atual surgiu? Como ela apareceu? Quando olho para trás, consigo enxergar que meu casamento, da forma como começou e terminou, foi determinante para fazer de mim a pessoa que sou hoje. Passar por momentos tristes e conturbados me ajudou a desconstruir comportamentos e crenças que me paralisavam e a forjar, a muito ferro e fogo, a minha personalidade atual.

Guardo um episódio desse casamento na memória. Foi o meu ponto de virada. Era fevereiro de 1999, e o meu primeiro filho, Vítor, estava com 3 meses. Se ele tinha noventa dias, eu também tinha os meus noventa dias... noventa dias que não saía de casa. Só tinha colocado o pé para fora da porta para ir às consultas médicas do bebê. E parecia muito mais tempo, porque eu vinha de um primeiro ano de casamento totalmente dedicado à casa e ao marido; uma vida de esposa em tempo integral. Não que eu ache isso errado, de forma alguma, acho louvável, desde que seja uma escolha consciente, não a única alternativa. Percebi que estava me sentindo sufocada quando recebi a ligação de um primo nos convidando para a sua festa de aniversário. Fiquei eufórica com o convite, com a oportunidade de fazer algo tão diferente da rotina puxada e mecânica do puerpério. Além disso, era mais do que uma chance de sair de casa: era também uma desculpa boa para sair de casal, pelo menos por uma noite, só nós dois. Ah, como eu estava animada!

Fiz tudo direitinho. Avisei o homem sobre o evento ainda no começo da semana e segui lembrando-o do compromisso à medida que os dias passavam. Liguei para minha mãe e perguntei se ela poderia cuidar do bebê; separei roupinhas, fraldas e leite. Tudo certo. No dia marcado, tomei meu banho, troquei de roupa, fiz a maquiagem e, às nove da noite, como combinado, apareci na sala, chamando-o para levar Vitinho para a casa da minha mãe e seguirmos para a festa.

— Nós não vamos — ele me disse com a calma de quem pouco se importa. — Estou cansado.

— Mas estamos precisando sair um pouco, estou me preparando desde o começo da semana!

— Não vou, e você também não vai.

— Mas a gente combinou…

Fiquei com tanta raiva! Não era a primeira vez que ele me fazia uma desfeita dessas. Depois que nos casamos, quase não saíamos mais, e o desprezo com o nosso combinado — o tal do combinado de que eu falo tanto —, que demandou tanto planejamento, me fez dizer de supetão:

— Queria que você fosse, mas, se não quiser, tudo bem, vou com meu irmão. É uma festa de família.

Ele respondeu que não. Que, se eu fosse, não o encontraria em casa quando voltasse. Bati a porta e fui. Não sei que coragem foi essa.

É claro que não me diverti, é claro que pensei nesse diálogo durante as poucas horas que fiquei fora, duas no máximo. Peguei um táxi e voltei com a certeza de que o relacionamento tinha terminado ou que, agora, ia degringolar de vez, a partir daquele que seria o primeiro grande *não* da minha vida. O que vi quando cheguei em casa não poderia ser mais surpreendente. Ele não só estava lá, como tinha cuidado do bebê, me tratou bem e nunca mais mencionou o evento. Isso mexeu comigo. Deu um clique. Nunca tinha dito "não" para ninguém. Não morri e o mundo não acabou. Descobri, naquele dia, que eu tinha o poder de mandar na minha própria vida e que não precisava mais obedecer a um homem, que era o que eu tinha feito até então. Essa era a única vida que eu conhecia: tinha deixado de obedecer ao pai para obedecer ao marido. Precisava parar de abaixar a cabeça e dizer "sim, senhor". Pensei mais. Se fui capaz de gerar uma vida e de cuidar dela, era chegada a hora de cuidar de uma vez por todas da minha própria vida!

Àquela altura, com 22 anos, percebi que, com exceção de minha definição profissional, não havia feito nenhuma grande escolha na vida. Por definição profissional me refiro ao curso de fisioterapia, que tinha concluído havia pouco mais de um ano. A possibilidade de investir na carreira não parecia fazer parte dos meus planos naquele momento, afinal, quem daria emprego a uma pessoa recém-formada e grávida? E quanto ao casamento, será que eu tinha escolhido me casar? Comecei a duvidar. Lembrei-me de ter pensado coisas duras, como: "sou feia, se não me casar agora, não me caso com mais ninguém, ele está me fazendo um favor". Também assumi para mim que o casamento tinha sido uma saída, talvez a única viável naquele momento, para escapar de uma rotina comandada por um pai tão severo. Depois de casada, morando longe do bairro que eu conhecia e me sentindo sozinha longe da família, passei os meses seguintes presa no papel de esposa obediente e, pouco a pouco, percebi que a busca pela liberdade da vida adulta tinha se tornado só uma troca de comando. Pai severo, marido rígido. Pai autoritário, marido mandão. O "não" que inaugurei naquele fevereiro tinha medo em cada letra pronunciada, mas eu consegui dizê-lo. E ele me mostrou que era mais do que um "não" pontual. Era um grito de dentro, dizendo que eu tinha o direito de viver a minha vida sem precisar obedecer a ninguém.

Conheci meu ex-marido no clube, pouco antes de entrar na faculdade, aos 17 anos. Namoramos durante todo o curso e nos casamos com pressa da minha parte, como contei. Foi também de maneira muito rápida, e mais uma vez sem escolher conscientemente, que tive a notícia da primeira gestação. Com a ajuda de uma amiga, comprei a cartela de pílula um mês antes de me casar. Criada de maneira ingênua, não fui ao ginecologista nem recebi as orientações pré-nupciais da minha mãe — aquela conversa que era costume ter com a filha noiva. A única recordação que tenho que se aproxima de uma conversa em casa sobre sexo foi um chamado, e nada teve a ver com o casamento. Ia começar uma reportagem sobre HIV no *Jornal Nacional* e meu pai disse apenas: "Senta e assiste". Você acredita que essa é a cena que resume a minha educação sexual familiar? Pois é. Assim fica difícil evitar a gravidez, não é? Foi o que aconteceu: durante a lua de mel, não me senti bem e liguei para a minha mãe. Ela perguntou se, por acaso, eu tinha começado a tomar pílula. Com a resposta afirmativa, me aconselhou a parar até a volta da viagem. Iria ao médico para tentar outro método assim que chegasse. Voltei grávida. Sabe que fui feliz naquele primeiro ano de casada? Era a esposinha perfeita, ou pelo menos o estereótipo do que eu achava que fosse uma "esposa perfeita" na época. Só não gostava de passar roupa, mas lavava, cozinhava, arrumava a casa que era uma maravilha. Só que o marido trabalhava o dia inteiro; saía de casa às oito horas da manhã e chegava às dez da noite, então eu ficava sozinha o tempo todo, sem conversar com ninguém, e fui entrando em depressão. O episódio do programa descombinado em cima da hora foi a gota d'água — e eu transbordei.

Um tempo depois dessa briga, depois de entender que eu precisava tomar as rédeas da minha vida, resolvi trabalhar. Uma colocação na fisioterapia não parecia possível, já que não tinha experiência na área, ainda mais com um bebê em casa. Parti para a segunda opção, o inglês. Consegui o que seria meu primeiro e único emprego de carteira assinada: era professora de inglês em um período de quatro horas diárias. Contratei uma ajudante para cuidar do Vítor enquanto eu estava fora e, aos poucos, fui aumentando a carga horária, até chegar às quarenta horas semanais. Ganhava pouco, mas tinha uma atividade só minha. Enquanto isso, nossa rotina de casal seguia morna e sem graça. Na cama, um eterno papai e mamãe que foi rareando cada vez mais. Mesmo casada, me sentia carente e sozinha. Falar de sexo? Nem pensar. Acreditava que prazer era aquilo, e bom estava daquele jeito. Até que o casamento pareceu não fazer mais sentido. Em uma sexta-feira de muito desentendimento, chegamos à conclusão de que era melhor parar por ali e seguir rumos diferentes. Marcamos uma reunião com advogados logo para a segunda-feira. Passei muito mal durante todo o fim de semana e creditei a indisposição a uma gastrite nervosa, pois motivo era o que não faltava. Fui ao hospital e recebi o diagnóstico certo: uma segunda gravidez. Diante do resultado positivo, consideramos manter a relação. Você pode imaginar o que aconteceu: as brigas se transformaram em algo frequente. Foi então que ouvi uma frase que me machucou muito.

*"Eu me casei com uma mulher, não com uma mãe."*

Essa frase ecoa até hoje na minha cabeça. Essa frase é responsável pelo sucesso do meu atual casamento, você vai entender isso ao longo do livro. Porque sabe o que é pior? Ele tinha toda a razão. A maternidade mexeu comigo e drenou grande parte da minha porção mulher. Deixei a minha pouca sensualidade e feminilidade de lado para cuidar dos meus filhos, da casa e do trabalho. No final do casamento, olhava para o meu corpo transformado pelas gestações e duvidava de que ele um dia seria feliz como são felizes essas mulheres do cinema, sabe? Seguras de si, que gozam não só no sexo: gozam a vida.

Nossa, que período difícil! Quando o Vinícius tinha 5 meses, meu pai faleceu. Com a notícia, o leite secou imediatamente. Hoje penso que a morte do meu pai foi como um aval para a minha separação, que aconteceria pouco tempo depois. Era 10 de setembro de 2001. No dia 11, enquanto todos assistiam assustados ao ataque que levou ao desabamento das Torres Gêmeas, em Nova York, meu irmão e eu resolvíamos as burocracias do velório e do enterro. De um lado, parecia que o mundo ia acabar; do outro, a vida era só poeira. Meu mundo também mudaria para sempre. Hoje entendo que estava vivenciando mais do que um luto de uma vez só. Um mês depois da morte do meu pai, chorava no quarto quando meu hoje ex-marido apareceu na porta e disse: "Está chorando por quê? Você nunca se deu bem com o seu pai!". Gente, isso lá é coisa que se diga nesse momento? Por outro lado, essa frase foi razão suficiente para passarmos a dormir em quartos separados. Resolvi retomar o plano do divórcio. Os dias eram arrastados. Ouvia dele frases ofensivas, comentários que me jogavam para o limbo. "Você vai ser uma mulher largada com dois filhos. Nunca vai encontrar ninguém. Não vai conseguir se sustentar. Você é burra. Essas crianças vão morrer de fome. Você não vai dar conta de criar os meninos." Da minha mãe, tradicional, vinha mais culpa: "Você vai ser a única mulher separada da família", ela me disse, sofrendo e me fazendo sofrer. Além do preconceito com a mulher que ousa tentar ser feliz, enfrentava mais um obstáculo entre os familiares: todos tinham uma visão muito positiva do meu ex-marido, que era considerado um homem religioso, trabalhador. Vendo de fora fica fácil. Ninguém sabia o que eu vivia com ele, que seguiu fazendo o que pôde para dificultar a separação.

Quando o meu primeiro filho nasceu, minha avó me deu um dinheiro para comprar a casa onde moro até hoje, para que ela pudesse ficar mais perto do primeiro bisneto. Entrei com 90% do valor; ele, com 10%. Quando decidimos nos separar, o tal do excelentíssimo marido comunicou que só sairia dali se eu lhe pagasse metade do valor do imóvel, já que tínhamos nos casado em comunhão parcial de bens. Entenda, eu ganhei a casa da minha avó, só que foi depois de estar casada. Como ela já havia falecido na época da minha separação, eu não consegui provar que o dinheiro havia sido uma doação. Abri mão de praticamente todo o dinheiro que ganhei de herança do meu pai para pagar pela minha liberdade e, sim, tive que comprar uma casa que já era minha. Quando consegui tirar a quantia do banco, ele me avisou que tinha reavaliado o imóvel e, agora, pedia mais 20% do valor total. Diferentemente do pai dos meus filhos, eu tinha um salário pequeno e não havia a menor possibilidade de juntar uma quantia dessas. No mais, as crianças precisavam de um lugar para morar, mas nada o comoveu. Levantei um empréstimo bancário e saí do casamento endividada. Depois de um tempo, aprendi que isso tem nome: violência patrimonial — mais do que dinheiro, o que ele pretendia era me punir por querer me livrar do relacionamento.

A violência patrimonial é apenas um dos cinco tipos previstos na Lei Maria da Penha, que ainda não existia naquela época (só entrou em vigor em 2006). As outras são a física, a psicológica, a sexual e a moral. Enquanto escrevia este livro, pensei muito se valeria falar sobre violência. Pela minha experiência pessoal e pelos relatos de alunas e seguidoras, vejo que sim, que esse é um assunto necessário. Posso afirmar que experimentei na pele os cinco tipos. Da minha parte, serei sucinta, mas essa é a minha história e ela me fez chegar onde estou;

portanto, se tenho a intenção de ajudar você a ser bem resolvida, precisarei entrar em alguns desses aspectos pessoais. O que mulheres passando por relações abusivas devem saber é que a violência é um ciclo. As agressões — que a princípio são verbais — minam a autoestima de quem é agredido. Quando são físicas, progridem rapidamente. Como tantas mulheres, sentia medo de ser atacada fisicamente — o que nunca deveria acontecer — e, por algumas vezes, me vi fazendo sexo para me livrar da insistência dele — o que, de novo, não deveria acontecer. Ter uma amiga advogada, especialista em casos de família, foi o que me ajudou na época. Ela me disse sem rodeios: "Não acredite em nenhum tipo de promessa por parte do homem que agride. Uma vez começado o ciclo, ele não vai parar". Não é um acaso que homens violentos se comportem com tanta doçura socialmente. E é preciso aceitar ajuda para sair desse tipo de relacionamento. Ajuda de uma amiga, de uma psicóloga, da família, de quem quer que seja. Não é fácil. Sou muito grata a essa minha grande amiga, que tão bem me orientou, mesmo sem ter como respaldo a lei atual, que recebeu reconhecimento mundial por ser eficiente no combate à violência doméstica e familiar contra a mulher.

Os ataques do meu ex-marido eram contínuos e, por fim, quando ele já não tinha mais o que tirar de mim, ameaçou tirar a guarda dos filhos. De todos os golpes, esse me deixou sem chão. Cogitei o inimaginável, acredite. Sim, eu cheguei a cogitar tirar minha própria vida, pois era melhor não viver mais do que ter que viver sem meus filhos. Porém, Deus serenou o meu coração e aqui estou para contar quase tudo por que passei. *Quase*, porque há certas histórias que não merecem ser relembradas.

O dinheiro, perdi, mas os filhos ficaram, não sem muito sofrimento da minha parte — ele disse até o último minuto que os tiraria de mim. Quando enfim saiu de casa, levou tudo o que podia, metade-metade. Não estou exagerando, foi tudo mesmo. Três panos de prato para ele, três para mim. Quatro copos de requeijão para ele, quatro para mim. Uma vassoura e um rodo para cada um. O problema era quando o número de coisas era ímpar. Tínhamos cinco garfos e cinco facas, então ele dividia três garfos e duas facas para mim e três facas e dois garfos para ele. Você já viu alguém dividir pano de chão furado? Eu já. Juro que hoje em dia eu rio disso, mas na época... A vontade era mandar levar tudo, só para me ver livre da criatura logo, mas eu ganhava muito pouco com as aulas de inglês, estava sem um real no banco e uma dívida enorme para pagar pela casa, então, qualquer pano de prato que eu não precisasse comprar era uma economia. Quando conto, tem gente que não acredita. Terminei esse casamento com a certeza de que jamais me relacionaria com outro homem. Foi isso o que ele me disse em tantas brigas, e era também o que a minha autoimagem me contava: uma mulher triste e feia, separada, derrotada, com filhos para criar e sem dinheiro no bolso. E magoada com os homens. Magoada só, não, totalmente desiludida, colocando todos eles naquele mesmo balaio de que homem não presta, é tudo igual.

Ah, acabei de lembrar de outra história: me separei no dia do aniversário de um ano do Vinícius, 10 de abril de 2002. Meu ex-marido conseguiu convencer o juiz de que precisava continuar morando na minha casa — que eu havia ganhado da minha avó e depois comprado de volta com toda a minha herança e com uma dívida pelos próximos três anos a juros estratosféricos — por mais um mês depois de separada, porque ele não tinha para onde ir e precisava procurar um lugar para morar. Dá para acreditar?

Agora vem a cereja do bolo, está preparada? Apenas alguns meses depois de finalmente sair de casa, ele já estava namorando. Até aí, tudo bem, nada de diferente de outros homens que se separam. Mas ele não só estava namorando, como foi morar junto com ninguém mais, ninguém menos do que a minha madrinha de casamento. Sim, a minha melhor amiga de faculdade.

## ... A mulher bem resolvida

Demorou, mas me levantei. O turbilhão ia arrefecendo quando uma coisa totalmente inusitada aconteceu: uma amiga me ligou dizendo que tinha se matriculado em um curso de striptease, mas estava morrendo de vergonha de ir sozinha. "Vamos comigo", ela disse, imperativa, fingindo que estava me consultando. "Mas não tenho nem para quem tirar a roupa, muito menos como pagar", respondi. O desespero é mesmo uma coisa interessante. "Eu pago vai comigo por favor", ela respondeu, sem tempo para vírgulas. Fui, claro. Não tinha nada a perder e ainda estava ajudando minha amiga. Ah, mas não estive lá à toa... Isso fez todo o sentido meses mais tarde. Saí do curso com uma pulguinha atrás da orelha. Havia um mundo de coisas a aprender em relação ao sexo e eu desconhecia a maior parte delas!

Naquele momento, ainda estava tentando entender como reconstruir minha vida. O desejo de voltar para a fisioterapia e a experiência do curso de striptease para poucas alunas me deram coragem para começar a atender em casa. Espera que eu explico. No terreno onde moro, há duas casas. Sempre morei na da frente. O curso de striptease me fez perceber que eu não precisava montar turmas para vinte alunas, nada disso. Se eu começasse com quatro, já estava ótimo. Resumindo, fiz um segundo empréstimo, reformei a casa de trás e montei uma sala. Foi onde construí minha clínica, mas nada disso tinha a ver com a sexualidade ainda. Entre o nascimento do Vítor e a gravidez do Vinícius, tinha feito uma pós-graduação — sempre fui CDF — em saúde perinatal. Meu trabalho de conclusão de curso foi sobre os efeitos da fisioterapia no pós-parto. Ataquei com isso! Na minha pequena clínica, preparava gestantes para o parto e cuidava da recuperação do pós-parto. Ensinava exercícios para fortalecer o assoalho pélvico, totalmente importante para a nossa saúde sexual. Foram essas gestantes, em nossas conversas durante as aulas, que me acenderam a curiosidade para que eu passasse a praticar os exercícios de ginástica íntima. Elas comentavam que os maridos estavam amando o resultado dos treinos, e elas mesmas estavam tendo muito mais prazer e satisfação nas suas relações. Pensei: não estou grávida nem namorando, mas posso muito bem ir treinando esses exercícios aí. Então, o espaço foi crescendo pouco a pouco. Montei outra sala para um *day spa*, onde eu aplicava massagem, procedimentos estéticos e disponibilizava ofurô e hidromassagem. As coisas caminhavam, mas havia empréstimos a pagar — e bota empréstimo nisso. Não tinha dinheiro sobrando, não; aliás, faltava era muito. Quantas vezes tive minha conta de água e luz cortada por não ter os 34 reais para pagar o boleto do mês?

Eu não recusava cliente. Um dia, recebi uma noiva. Entre um procedimento e outro, ela comentou que havia lido uma reportagem sobre pompoarismo e me perguntou se os movimentos eram os mesmos que eu vinha ensinando às gestantes do espaço. Prontamente respondi que sim, que os princípios eram os mesmos, o músculo que se exercitava era o mesmo. "Você me ensinaria?" Claro que ensinei, ela com mais duas amigas. Como disse, nunca fui de recusar cliente nem serviço. Com o dinheiro dessa aula, consegui pagar a água e a luz no mesmo mês, façanha que não acontecia desde a minha separação, que já contava pouco mais de um ano. Um tempo depois, recebi uma ligação: era uma amiga daquela noiva, perguntando se eu era a Cátia que dava cursos de pompoarismo. Ela queria saber se tinha turma nova, quando começava e quanto custava. Fiquei surpresa, mas pensei rápido: "Oi, é daqui sim, mas as turmas estão lotadas... Deixa seu telefone que aviso quando abrir uma nova". Desliguei o telefone e pensei: "seráááá?".

Naquele tempo, eu ainda tinha dúvidas sobre trabalhar com sexo. O assunto era tabu para mim. Conversava com Deus e pedia desculpas. "Olha, eu sei que esse negócio de trabalhar com sexo não é certo, mas é que eu estou com muita dívida, viu? Então, o Senhor, por favor, me manda mais grávida aí. Eu vou fazer só mais essa turma porque estou precisando mesmo." Mas o fato é que vi ali uma oportunidade e não sou mulher de deixar oportunidade passar. Passei a ler, estudar e praticar, claro, cada vez mais sobre pompoarismo. E, cada vez mais, as mulheres iam conversando e me indicando para outras amigas. Até que comecei eu a fazer anúncios para colocar mais mulheres nas turmas. Se eu fazia uma turma de quatro mulheres, por que não fazer de seis, oito ou dez? Uau, que tantão de gente, eu pensava! Quantas vezes não acordei de madrugada para ir pregar faixa na rua? E olha que eu odeio acordar cedo! Quantas e quantas vezes não panfletei de porta em porta meu folhetinho do curso de pompoarismo embaixo de sol quente? Panfletei até no semáforo! À noite, ia para a porta das faculdades continuar panfletando, para aproveitar a mulherada que estava indo embora para casa depois de um longo dia de trabalho e estudo, assim como eu. É, minha gente, não foi fácil, não... E as grávidas? Então, eu e o cara lá de cima conversamos muitas vezes sobre isso, mas daqui a pouco eu conto o desfecho dessa história. Bora continuar a trajetória da sexualidade.

As oportunidades continuaram a aparecer e eu agarrei todas elas, como no dia em que uma aluna perguntou na lata: "Cátia, você dá aula do que mais?". Pense na minha cara de: oi? Mas você lembra que eu tinha feito aquele curso de striptease, né? Pensei comigo mesma: por que não? Respondi: "Estou terminando um curso de striptease e posso te ensinar". Procurava um curso para fazer, aprendia, colocava em prática com os *boys*-magia do momento (foi aí que a minha autoestima começou a melhorar: eu descobri que não era a estética que encantava, mas sim a atitude e a *performance*, mas vou dar detalhes sobre isso lá na frente), depois incrementava o assunto, porque criatividade aqui nunca faltou, e, por fim, ia lá e ensinava as alunas. Assim foi com a massagem sensual e a dança. "Cátia, e *pole dance*, queria aprender." Vocês se lembram de uma personagem da Flávia Alessandra, na novela *Duas caras*, de 2008, que era dançarina de *pole dance*? Pois bem, foi assim que me tornei a primeira professora de *pole dance* de Brasília. Respondi: "Calma, que estou mandando fazer a barra de metal lá em São Paulo, está para chegar, aí abro as turmas". E lá fui eu fazer um novo empréstimo, correr até São Paulo para fazer novos cursos e aprender a subir na barra. Quer saber mais uma? A barra que encomendei em São Paulo deveria ser de aço polido, mas eu não sabia, achei mais bonito fazer de aço escovado. Para escovar o aço é preciso passar o metal por um processo que eu não sei explicar bem, mas tem um óleo, e, minha amiga, não tem corpo que se pendure em uma barra de aço escovado! A barra chegou e não dava certo de jeito nenhum! Até eu descobrir o que era, coloca tombo aí. Conversando com minha professora, ela me explicou: tira a barra do lugar, manda polir e põe no lugar de novo. E mais empréstimo, até aparecerem as primeiras alunas. Falta de experiência tem dessas… Mas, no final, deu tudo certo, sempre dá! Esse é um lema que carrego para a vida: se ainda não deu certo, é porque não chegou ao fim — e foco para fazer dar certo!

Já que estamos falando sobre essa veia empreendedora, deixa eu te contar mais uma: nas aulas de pompoarismo, eu indicava o uso de três acessórios que as alunas tinham que comprar em *sex shop*. Conversando, notava que elas tinham vergonha de ir até lá. Então, eu, que também nunca tinha entrado em uma loja do tipo, liguei para um representante e fiz uma compra. Fui lá buscar e trouxe os produtos para as alunas na aula. Em pouco tempo, eu ia mais a *sex shops* do que à padaria — sinal de que os negócios estavam começando a dar certo.

Outra atividade nova, que surgiu por demanda, foram os chás de lingerie. Um belo dia, a dona de um *sex shop* em que eu comprava os acessórios me ligou perguntando se eu fazia despedida de solteira. Perguntei do que se tratava, e ela explicou que era uma festa só para a noiva e as amigas, e eu faria a animação, ensinando alguma coisa que eu já ensinava nos meus cursos. Perguntei: "Para quando é?". "Daqui quinze dias", ela respondeu. Meu amor, eu ainda tinha duas semanas para inventar uma coisa! É claro que aceitei. E foi assim que comecei a trabalhar com chá de lingerie. Aliás, fui eu quem trocou o nome de "despedida de solteira" para "chá de lingerie" aqui no quadradinho (Brasília, para os leigos). Exerci essa atividade por dez anos e me lembro com muito carinho dela, pois ao longo desse tempo eu tive a oportunidade de participar do chá de mais de duas mil noivas. Não é lindo isso?

Agora vou retomar a história com Deus. Sabe as grávidas? Então, nada de aparecer. Em compensação, mulher querendo curso de pompoarismo não parava de chegar. Por dois anos, fui tendo aquela conversa quase que diária com Ele. "Olha, eu vou fazer só mais essa turma, porque é muita dívida e eu tenho que sustentar essas duas crianças, mas dá uma força aí, manda umas gravidinhas para cá." Em uma dessas, me chamaram para ir à casa de uma noiva. Era uma casa muito chique, de gente rica. Quando a mãe da noiva abriu a porta, notei que ela olhou o crucifixo que eu usava no pescoço, um presente que eu tinha ganhado do meu pai e que usava sempre.

*Em vez de "olá", ela abriu a porta e disse: "Ué, você reza?". Estava ficando boa nesse negócio de pensar rápido e criar coragem, e respondi: "Ué, você não transa?".*

Esse episódio me fez pensar muito. Sobre tabus, preconceitos, sobre o que é certo e errado. Sobre o que é pecado ou não. Por que não podemos fazer as duas coisas, sexo aqui e oração ali?

Ser casada e realizar fantasias com o marido? Eu ainda guardava um pouco de culpa. Refleti: converso com Deus todos os dias, trabalho todos os dias, estou pagando as minhas contas, sustentando os meus filhos, sou uma pessoa séria, correta, não estou fazendo mal a ninguém, muito pelo contrário, ajudo as pessoas a serem felizes dentro dos seus relacionamentos! Penso que ela quis me ofender dizendo aquilo, além de se colocar em um lugar de superioridade que não lhe pertencia. Então, nesse dia cheguei em casa e fui ter uma conversa séria com Ele. "Ok, eu finalmente entendi por que Você não me manda mais grávidas e porque toda hora tem alguém me procurando para esses cursos de sexualidade, deixa comigo, eu vou assumir a missão, mas continua me ajudando e abençoando daí, que eu vou fazendo a minha parte daqui!" E aqui estou eu, há quinze anos na área. Sim, essa história toda começou em 2004 e, desde então, venho trabalhando para ajudar as mulheres a se desenvolverem através da descoberta da sexualidade e do autoconhecimento.

Como é que eu fui parar na internet e me tornei "o maior canal do mundo de sexualidade e relacionamento" de acordo com o *Estadão* e com os números oficiais do YouTube? Bem, aí é outra história. Está pronta? Então vamos lá.

Um belo dia, quando eu já era referência em Brasília na área de palestras sobre sexualidade, o telefone toca: era um rapaz dizendo que tinha uma proposta irrecusável para mim, que queria ser meu sócio e que daria muito certo. Ah, não, gente, eu já tinha dado certo. Sócio homem, se eu só trabalhava com mulheres? Nem pensar. Rejeitei de cara. Mas ele foi insistente e disse que eu ia ficar famosa no YouTube. Ri de cair para trás nessa hora. Falei: "Moço, YouTube é coisa de gente desocupada que não tem nada para fazer", e desliguei (paguei uma língua danada!). Mas o menino não desistia. Me ligou de novo, afe! Ligou por uma semana, todos os dias, pedindo para me mostrar a proposta pessoalmente. Daí pensei:

"Só tem um jeito de me livrar dele. Vou marcar essa entrevista, ele vem aqui, eu escuto rapidinho e mando ele embora, pronto, vai dar certo". Assim eu fiz, já com tudo estrategicamente pensado. Eu tinha prometido uma entrevista para uma menina que havia sido minha aluna de inglês e, a essa altura, já estava quase terminando a faculdade de publicidade. Ela me ligou dizendo que ia fazer um trabalho sobre mulheres empreendedoras de sucesso e perguntou se eu podia dar uma entrevista para ajudar no trabalho de conclusão de curso. Claro que sim! Achei uma gracinha! Marquei com minha ex-aluna de inglês às cinco da tarde e com o moço desconhecido às quatro e meia, porque assim eu só teria trinta minutos para conversar com ele, e ele teria que ir embora de qualquer jeito. Tudo planejado! Ele foi de uma pontualidade britânica; o problema é que minha aluna se adiantou meia hora e também chegou às quatro e meia. Como para mim ela era mais importante do que ele, perguntei se ele se importava de esperar eu terminar a entrevista. Ele gentilmente disse que esperaria, sem problemas, e se sentou quietinho em um canto com o computador dele no colo. Ah, detalhe, quando eu olhei o moço, era um menino de 27 anos, gente, querendo ser meu sócio! E eu já com os meus 37 e carreira consolidada (olha como os pré-julgamentos derrubam a gente, vai acompanhando a história). Bem, minha aluna chegou, montou o equipamento — sim, a entrevista seria gravada em vídeo —, e respondi às perguntas com a maior naturalidade do mundo, como se fizesse isso todos os dias. A gravação terminou, nos despedimos, e ela foi embora. Fui conversar com o moço, e a primeira pergunta dele foi: você sempre grava na frente das câmeras? Respondi que não, que tinha sido a primeira vez (hoje, ele conta que seu coração acelerou nessa hora, já pensando na facilidade que seria gravar os tais vídeos para o YouTube). Durante a explanação dele, não é que fui achando a ideia interessante? Mas ainda duvidei: não era, e não sou até hoje, dada à tecnologia. Sei entregar o conteúdo, mas não me peça para editar, subir vídeo, nadinha. E era justamente aí que estava a expertise dele. Por fim, ele realmente fez uma proposta irrecusável. "Vamos gravar esses mesmos cursos que você dá presencialmente e vamos vender on-line. Se der certo, a gente divide o lucro; se der errado, o prejuízo é todo meu. Você entra com seu conhecimento nos cursos, e eu, com a gravação e a divulgação." Cá para nós, eu não tinha nada a perder, era só fazer o que eu já sabia e, se desse certo, eu ainda ganharia um dinheirinho. "Está bem", respondi. Topei. Verifiquei a informação: se der prejuízo é por sua conta, se der lucro a gente divide por dois? Ele: "Na verdade, por três, porque eu tenho um sócio". Aí pensei: "Outro menino...". Mas, ainda assim, eu estava no lucro. Já tinha aproveitado tantas oportunidades na vida, por que não dar uma chance a mais essa? E não é que o negócio deu certo mesmo? Desde o finalzinho de 2013 estamos juntos, os três lunáticos que resolveram falar de sexo na internet e ajudar ainda mais pessoas do que eu já ajudava. O nome desses meninos? Leandro Ladeira (o famoso Ladeirinha, do marketing digital) e Ruy Guimarães, o cara que sabe tudo de tráfego digital. Aos "meninos", minha eterna gratidão por terem sido insistentes. E por se importarem tanto ou mais do que eu com cada uma das pessoas que nos acompanha!

Falando em redes sociais, recentemente recebi um comentário no Instagram de uma moça que dizia: "Você tem dinheiro, é famosa, assim fica fácil". Não sou de responder, mas dessa vez não aguentei: "Só sou a pessoa que sou porque não tive dinheiro e tive que batalhar pelo pão de cada dia", desabafei. Não era o pão da semana, não, era de cada dia mesmo. Quando me lembro dessa fase corrida, apertada, vejo que tudo foi motivo para descobrir a minha coragem, a minha independência. Nada foi do dia para a noite. Nesse processo de empreender, fui vencendo meus medos, minhas inseguranças, errando e acertando, mas sempre fazendo minha parte.

*E o prazer no sexo deixou de ser um desconhecido,
afinal, fui cobaia de mim mesma: precisava testar
se o que eu lia e estudava dava certo mesmo.*

Nesse campo, também acertei e errei algumas vezes, aprendendo sempre.

De autoestima reconstruída, parti para um novo relacionamento, que vai muito bem há doze anos e que me deu mais dois filhos. Dessa vez, como prometido anteriormente, não caí no conto da mãe mártir. Atenta não só ao sexo, mas ao casamento, cuidei e cuido sempre para que nossa vida não caia na rotina. É com meu marido, o Robson, que testo todos os meus conhecimentos na prática — pois continuo aprendendo até hoje. Por causa desse cuidado, que é mútuo, tenho um casamento feliz e um marido companheiro, disposto e apaixonado.

As aulas de ginástica íntima e dicas para manter o relacionamento sempre ativo se transformaram em vídeos publicados na internet, inclusive nas redes sociais. E pensar que aquela mulher que mal falava de sexo hoje em dia impacta milhões! Milhões de pessoas que querem saber mais sobre o assunto. Isso prova que há uma carência de conhecimento na área, mas também um impulso, ainda que latente — aquele mesmo impulso que eu senti — de ser realizada na vida sexual e amorosa.

Nas próximas páginas, você vai aprender a valorizar e a se valorizar. Dar e receber prazer. Conectar-se e expressar a sua essência, tenha o corpo que tiver, o estilo que preferir. Se você sente esse impulso, é hora de virar a página. Eu conheço e vou mostrar o melhor caminho.

# Autoestima

# VOCÊ GOSTA...
# DE VOCÊ?

Meu curso on-line mais famoso é o Mulheres Bem Resolvidas. Ao final, as participantes são convidadas a responder algumas perguntas sobre a experiência, para me ajudar a sempre melhorar o conteúdo. Por curiosidade, também pergunto o que elas querem saber mais, que tipos de dúvida têm. São bem mais de dez mil respostas acumuladas, que, curiosamente, formam uma listinha bem curta das mesmas questões. Em primeiro lugar vem o "como se soltar na cama" e suas derivações: "como perder a timidez para o sexo, despertar a sensualidade, ter mais libido e interesse em sexo". Depois, vem "como atingir o orgasmo, atingir mais orgasmos, atingir orgasmos mais intensos, como saber se tive um orgasmo". O casamento também é uma preocupação grande: "como resolver a perda de tesão pelo marido, o que fazer quando o marido perde tesão pela esposa, como quebrar a rotina do casamento, reconquistar o marido, fazer com que ele te procure mais e seja mais criativo na cama, como tomar a iniciativa com o marido, satisfazer o marido, ser mais interessante e criativa para ele, manter o interesse sexual depois de anos juntos, manter o sexo depois de ter filhos" e por aí vai. Na sequência, vem "como conquistar a autoestima, ser mais confiante, dar mais prazer". Então, voltam os relacionamentos: "como superar ou perdoar uma traição; como ser menos ciumenta". No caso das solteiras, que não ficam de fora da pesquisa, temos: "como conquistar o *crush*, fazer com que o gato se interesse de verdade e firme o namoro". Tem ainda a clássica pergunta das mais experientes: "como fica o sexo depois da menopausa". Por fim, chama a atenção que a palavra ansiedade apareça muito: "como controlar, se ela pode atrapalhar o relacionamento, como não ficar ansiosa no primeiro encontro".

Pauto muito do meu trabalho por esse retorno que recebo há anos. Quero ajudar cada uma a superar seus entraves e expressar sua personalidade e seus desejos, sejam solteiras, casadas, com ou sem filhos, antes ou depois da menopausa. Há uma vida feliz possível para todas as mulheres! Eu disse possível, não garantida. É por isso que vou procurar responder a essas questões mirando um alvo só: a autoestima. Este livro fala, primordialmente, dela. A teoria é simples.

*Acredito que uma mulher bem resolvida estime muito o que vê em si mesma e, gostando do que vê, seja mais feliz na cama e fora dela.*

Não é à toa que os psicólogos usam o termo "construir" quando falam de autoestima, porque não se trata de um dom inato. Parece mais um músculo que pode ser exercitado, fortalecido e torneado com exercícios e vontade — qualquer semelhança com o pompoarismo não é mera coincidência. Mas, antes de começar a falar de sexo na prática, deixa eu fazer uma pergunta. De zero a dez, a quantas anda a sua autoestima? Pode pensar com calma antes de responder.

Não me assusto se a resposta for mediana ou até abaixo da média. Tenho minhas suspeitas de que o motivo da nota baixa, que costuma ser comum, seja uma confusão a respeito do próprio conceito de autoestima. As mulheres, principalmente, tendem a associar a palavra a forma física, beleza e apresentação pessoal, enquanto os homens tendem a associá-la ao vigor da sua ereção e ao tamanho do Brad Pinto. Mas isso é apenas parte da questão. Sentir-se feia abala a autoestima, não há dúvida, posso falar horas sobre esse tópico, eu já estive aí nesse lugar. Sentir-se bonita, por outro lado, ajuda, mas não é o bastante para seguir em frente dizendo que tem a autoestima lá no teto, sabia? Já ouvi esse relato de várias mulheres, daquelas que consideramos capa de revista, dessas que têm o *feed* perfeito no Instagram.

> *Estima tem a ver com carinho,*
> *apreço, admiração e respeito.*
> *O contrário de estima é desprezo.*

Fui até procurar no dicionário. No Houaiss, a palavra "autoestima" está definida como "qualidade de quem se valoriza, se contenta com seu modo de ser e demonstra, consequentemente, confiança em seus atos e julgamentos". Opa, minha gente. Olha quanta informação! Se é a forma como a gente enxerga as nossas qualidades e características que vai formar nossa autoestima, então não basta apenas ficar preocupada com o que você vê refletido no espelho. A gente não pode se esquecer de avaliar nossas virtudes e qualidades, as características positivas que temos — a estética é só uma delas. A gente também não pode se esquecer de dar menos atenção à opinião dos outros. De se perdoar. De se permitir. De dizer "não". E de não se vitimizar. A gente não pode se esquecer de se responsabilizar pela própria vida. Vou falar sobre tudo isso a seguir.

# FOQUE NAS VIRTUDES

Se você se conhecesse bem, se conseguisse listar as suas qualidades com segurança, depois identificasse as suas falhas e, ainda, finalizasse dizendo o que precisa aprimorar em si mesma... bem, acho que você não estaria lendo este livro. E não há nada de errado com isso, pois não somos ensinadas a nos conhecer. Sequer nascemos sabendo quem somos! É verdade que parte da nossa personalidade já dá umas dicas desde o início, podendo ser identificada nos primeiros anos, quando somos ainda bebês — se temos jeito de independentes ou carentes, práticos ou sonhadores, mais corporais ou mais intelectuais... Mas essa é só uma camada. Ainda tem a criação dos pais, que molda muito a nossa personalidade, a escola e o nosso círculo de amigos, os ambientes que frequentamos... a própria geração da qual fazemos parte influencia a construção do nosso eu. Não é à toa que uma das perguntas mais difíceis de responder é a famosa: "quem sou eu?". Já tentou?

*A autoestima é filha do autoconhecimento. Penso
que é difícil alguém gostar genuinamente de si sem
se conhecer primeiro. Quando a gente se conhece,
fica mais fácil gostar de si e dos outros também.*

Gostando de si, a vida fica um tantão mais simples: ficamos mais
seguras, mais fiéis aos nossos objetivos de vida, escolhemos melhor os nossos amigos, nossos parceiros e até o nosso trabalho;
entendemos os nossos limites, porque conhecemos as nossas características boas e as não tão boas assim, e não temos medo de
olhar para dentro e procurar melhorar, porque, afinal, queremos
o melhor para essa pessoa chamada *eu*.

O caminho para construir a autoestima é parecido com o movimento de organizar qualquer ambiente. Pode ser o seu closet, sua
mesa do escritório, mas vamos pegar uma reforma na casa como
exemplo. Primeiramente, olhamos o ambiente e reconhecemos o
que fica e o que sai; depois limpamos, consertamos, reformamos
e, então, decoramos tudo do jeito mais bonito possível, até dizer:
eu amo a minha casa. Porém, é importante não esquecer que, por
mais que tenha gostado do resultado, em algum tempo pode aparecer uma rachadura ou você pode querer mudar um móvel de
lugar. E está tudo bem com isso, porque a casa, assim como a vida,
não é rígida, mas cíclica. Reconhecer as nossas características, sejam boas, sejam ruins, é o primeiro passo. Algumas são óbvias,
outras vamos descobrindo ao longo do caminho e outras precisamos suar para notar. Quer ver só? Pense em uma pessoa que
desconhece uma característica (psicológica ou física) importante
da própria personalidade. Um colega de trabalho que é mais grosso que porta de igreja, mas nem sonha que é assim. Uma amiga
que não consegue se apaixonar, pois ainda não entendeu que está
profundamente ligada ao ex (que lhe deu um pé na bunda). Mi-
mados nunca sabem que são pessoas mimadas (e nós dificilmente

podemos fazer algo a respeito, para não criar inimizades). Enfim, as pessoas são como são porque não sabem ser de outro jeito, ou porque simplesmente acham que o seu jeito é o único possível.

Até aqui, falei de traços indesejados, mas existe também o vizinho inteligente que se acha incapaz, a prima alegre e sociável que se casou com um homem que não suporta festas e o clássico caso das mulheres muito bonitas que juram ter um corpo cheio de defeitos. Esse desencontro de informações traz confusões, mal-entendidos e sofrimento. É como se a gente levasse a vida dando umas topadas doídas no dedinho do pé, porque nunca consegue enxergar onde está o pé da cama.

Para conhecer a si mesma e construir uma boa autoestima, você tem que procurar esse saber e estar aberta a olhar para dentro. Depois, precisa se desenvolver nessa matéria, aperfeiçoar-se. Tem duas frases muito poéticas, atribuídas ao escultor e pintor renascentista Michelangelo, que vão me ajudar a ilustrar a ideia. "Todo bloco de pedra tem uma escultura dentro. É tarefa do escultor descobri-la" e "Vi o anjo dentro do mármore e esculpi até libertá-lo". Não são lindas essas imagens? Só que aqui, em carne e osso, você é a pedra, é a escultura, é o anjo e também o escultor. O cinzel, que é o instrumento para entalhar, é o meio pelo qual você vai descobrir o que tem de lindo no seu interior, livrando-se do excesso de mármore, que são os nossos defeitos. *A sensação de ser bem resolvida tem a ver com se libertar.*

Até uma briga feia pode ser uma oportunidade para se conhecer melhor. Quem nunca aproveitou uma ocasião dessas para jogar na cara do outro uma verdade dura, que estava entalada havia um tempão? Opa, mas autoconhecimento não é olhar para si mesmo? Pense o seguinte: o que já disseram a você nessas situações? Aquilo que doeu fundo? Preste atenção nesses adjetivos, pois eles podem ser verdadeiros. Eu disse *podem*, hein? Mais para a frente vamos falar sobre o que os outros pensam de nós e quanta bola devemos dar para isso. Mas agora você entendeu a lição. Se estiver atenta, vai começar a se perceber melhor, e até em uma discussão poderá "pescar" uma informação nova, para aumentar o seu repertório de conhecimento pessoal. Também gosto de comparar a busca pelo autoconhecimento com a relação que temos com nossa profissão. Você escolhe uma, mas não domina o ofício. Faz a faculdade, o estágio, consegue o primeiro emprego. Vai a simpósios e congressos, faz cursos complementares, lê livros da área. Faz amigos que têm a mesma profissão, fala sobre o tema e continua aprendendo e se informando sempre — esculpindo o anjo! Temos que fazer a mesma coisa em relação a nós mesmas.

Como disse ali atrás, ninguém toma conta dos próprios pensamentos, impulsos, qualidades, virtudes e defeitos sem fazer algum trabalho de investigação. Quando criamos coragem de estudar o nosso eu, tomamos consciência de aspectos incríveis a respeito da gente. Entramos na nossa zona nublada, na nossa "sombra", e vamos nos conscientizando daquilo que precisa ser corrigido ou superado. Mas também trazemos à luz o que temos de bom e nos fortalecemos muito com isso. E lá vamos nós, tirando informação do inconsciente e trazendo para o consciente, cada vez mais, pois esse é um caminho sem volta para quem é bem resolvida. Mas não vamos enganar ninguém aqui: é uma tarefa trabalhosa. O que me lembra uma citação atribuída ao famoso psicanalista Carl Jung: "Não há como chegar à consciência sem dor". Se você faz ou fez terapia, sabe do que estou falando: pode ser doído rever a própria vida e enxergar em nós mesmas aquilo que condenamos no outro.

Acredito muito na psicoterapia, fiz por três anos seguidos, com a mesma profissional. Comecei durante a separação, pois precisei de ajuda para passar pelo furacão. Depois de uns dois ou três anos, voltei, com a mesma terapeuta, por conta de um episódio de depressão. Ao todo, foram cinco anos. Hoje em dia já não faço mais terapia, mas estou sempre participando de cursos de desenvolvimento pessoal e, quando preciso, conto com a minha *coach* Luciana Rocha, que, para a minha sorte, é também psicóloga, então sabe exatamente quando preciso de terapia, de *coach* ou só de puxão de orelha mesmo. Além de superar minhas questões, entrei em contato comigo mesma durante cada um desses processos e descobri como eu reagia, como eu me sentia em relação aos acontecimentos. O mais importante disso tudo foi aprender a ressignificar a minha história, pois, já que eu não consigo mudar as coisas pelas quais passei, posso olhar para elas de uma forma diferente, de uma forma mais leve e aprender com tudo o que vivi. Em um texto divertido que encontrei no site da *Psychology Today*, uma revista norte-americana que trata de psicologia, o psicanalista californiano Ryan Howes comparou a psicoterapia com o atendimento médico e a academia: a gente vai ao consultório para tratar uma doença e se exercita na academia para cuidar da saúde e prevenir doenças. A terapia seria o "dois em um" da saúde mental: ao mesmo tempo que você ganha suporte para lidar com problemas, começa a se conhecer melhor e, por consequência, passa a evitar complicações. A intenção deste e de tantos outros livros é ajudar você a começar a trilhar esse caminho do autodesenvolvimento. Sim, leituras, vídeos, *podcasts*, cursos e formações em desenvolvimento pessoal podem ajudar, mas se você quiser experimentar a terapia e está curta de grana, uma boa dica são os atendimentos em faculdades de psicologia. Os alunos do último ano precisam passar pelo estágio supervisionado e começam a treinar as suas habilidades como terapeutas por ali, sempre sob a orientação de profissionais experientes e a custo zero — eu disse "zero", amiga. Em alguns casos, o consultório da faculdade disponibiliza uma lista com recém-formados que topam atender a um preço camarada aqueles que procuram o laboratório, mas não encontram vaga — outra boa saída.

Enquanto você medita sobre o tema "terapia", vale se jogar no exercício de autoconhecimento que proponho a seguir. O objetivo é conseguir enxergar as qualidades positivas mais marcantes da sua personalidade e fazer com que você goste de si pelos motivos certos! Além de ser muito simples e fácil, essa prática vai trazer um resultado extraordinário para o processo de conhecimento pessoal. Vamos materializar as nossas qualidades em uma folha de papel, que vai servir de guia em diversos casos — digo isso com segurança, porque funcionou para mim por muito tempo, até eu não precisar mais ser lembrada dessas características.

### ▶ Quem sou eu

*Você é boa em quê? Quais qualidades exalta em si mesma? Que virtudes possui? Primeira etapa: com papel e caneta em mãos, acione o* timer *para apitar em dois minutos. Nesse tempo, você vai responder a essas perguntas fazendo uma lista de no mínimo cinco características positivas que são suas e ninguém tasca. Tente listar dez (acredite, muita gente não consegue chegar a cinco nesse tempo). "Sou uma mãe muito presente." "Sou muito reconhecida na minha área profissional." "Simpática e ótima de papo." "Boa ouvinte." "Faço um bolo de mandioca excelente." (Sim, até isso é qualidade, e das boas! Até porque adoro bolo de mandioca e não faço a menor ideia de como preparar um, então, todas as vezes que como, só me resta agradecer a quem o fez.) Só valem as observações positivas, está certo? A segunda etapa é pedir para alguns bons amigos, ou parentes, que façam a mesma lista sobre você. Tem que ser alguém que te conheça bem, viu? Não vale o porteiro do prédio a quem você só dá bom--dia — mas, se o porteiro for muito seu amigo, coloque ele na lista com certeza! Escolha pessoas próximas, com quem tenha intimidade, que gostem de você. Peça que cada uma liste de cinco a dez características suas que são boas, apenas as boas características que essa pessoa admire em você.*

*Com as listas lado a lado, compare o que foi escrito. Eu garanto que você vai se surpreender com a forma como as pessoas te veem. Esse exercício vai ajudar a criar uma perspectiva diferente sobre sua personalidade e a maneira como você se vê. Você vai notar que as pessoas veem qualidades que nem você mesma imaginava ter, ou que considera tão normal que nunca tinha olhado para essa característica como uma qualidade. Por outro lado, vai verificar que algumas características se repetem. Quando fiz esse exercício, as palavras "alegria", "bom humor", "energia" e "felicidade" surgiram em praticamente todas as listas. Era a mesma coisa, dita de formas diferentes. Menina, pensa comigo: se sou alegre e bem-humorada, então as pessoas gostam de estar perto de mim, não é, não? Esse dado ajudou a reforçar a minha qualidade de comunicadora e me fez ainda mais confiante!*

*Olha como são as coisas: foi somente quando eu passei a enxergar o humor como uma virtude que ele floresceu na minha carreira. Vou contar essa história direito. Em janeiro de 2017, eu estava cursando a pós-graduação em psicologia positiva com o professor e hoje amigo Helder Kamei, que é simplesmente a referência em psicologia positiva no Brasil. Tivemos que responder ao Questionário VIA, um teste que classifica nossas 24 forças de caráter e virtude. Adivinhe só qual é a minha primeira virtude? Isso mesmo: o humor. Ironicamente, chorei muito com esse resultado e repetia ao meu apenas professor na época: "Mas, com tanta virtude interessante, eu tinha que ficar com o humor? Eu nem trabalho em circo...". E desandava a chorar, pois, na minha concepção, virtudes interessantes eram perseverança, liderança e autocontrole, e elas não estavam em primeiro lugar no meu resultado — aliás, estavam bem longe disso. Helder tentou me confortar e explicar o resultado de todas as maneiras, mas nada me consolava. Enfim, concluí o curso e já na semana seguinte comecei a observar com outros olhos vários comentários no meu canal do YouTube, que estava com aproximadamente 400 mil inscritos na época. "Adoro a forma divertida como você fala do assunto sexualidade." "Gosto muito como você fala de um assunto tabu com tanto bom humor." "Seu jeito leve deixa um assunto tenso muito mais fácil." Eu não preciso nem dizer como o fato de aceitar como uma virtude o humor, que até então não passava de uma "coisa que eu fazia naturalmente", me ajudou a dar uma guinada gigantesca no trabalho. Passei de 400 mil inscritos para 1 milhão e, depois, de 1 milhão para 5 milhões de seguidores em pouco mais de dois anos. Há um ano estou em cartaz em turnê nacional com minha peça* O que pode dar errado na cama, *com as sessões sempre lotadas. Esse é o poder que assumir nossas virtudes como características positivas, e não apenas como "coisas que fazemos naturalmente", tem na nossa vida.*

*Agora é sua vez: anote as suas principais características positivas em uma nova lista, como quem passa a limpo a lição de casa. Recorra a essa lista sempre que for preciso. Toda vez que estiver cabisbaixa, achando que não sabe fazer nada direito, ou quando as notícias vierem desanimadoras, repasse o olho na lista. Se estiver enfrentando uma situação difícil, um problema complicado, busque a lista, reafirme as suas características positivas a si mesma para tentar sair desses estados negativos que abalam o nosso potencial. No próximo capítulo, vou mostrar para você o conceito do ciclo do sucesso, que tem tudo a ver com autoestima. Segura essa informação, minha filha!*

# REORGANIZANDO A CASA

Não sei se adianta muito entender quem somos se não estivermos dispostas a mudar, concorda? É o que penso, mas existe todo o tipo de opinião nesta vida.

Uma vez escutei um homem de 65 anos dizendo que era muito teimoso. Perguntaram se ele gostava de ser assim. Respondeu convicto: "Não, mas é assim que sei ser, fui assim a vida toda, não adianta mudar". Fiz as contas. Hoje em dia, a expectativa de vida chega aos 80 anos, facilmente ultrapassando a linha de chegada. Pensei comigo: quer dizer que esse cara vai viver mais uns quinze anos rabugento desse jeito? Socorro! Ninguém aguenta ficar perto de gente assim, não. Então vamos ao trabalho, minha irmã. Um belo dia, quando você estiver com 80 anos, vai olhar para trás. E aí, hein? Se não cultivar seus melhores aspectos, estará mal resolvida, mal-amada, infeliz e sem tempo para reverter esse quadro, que é grave.

Listar as boas qualidades é ótimo para ficar mais confiante, mas, até aqui, é como se tivéssemos apenas enxergado o anjo que existe na pedra. Ainda tem muita pedra atrapalhando a nossa obra de arte! Por isso, a próxima fase é mais incômoda do que a primeira, porque exige força, comprometimento e disciplina. Olha, é claro que ninguém muda do dia para a noite, mas em algum momento você vai ter que começar. Em cursos de formação para *coach* aprendi algumas técnicas que podem ajudar.

▶ **Quem eu quero ser**

*Quem nos ajuda a entender esta atividade são os Alcoólicos Anônimos (AA). Uma das primeiras lições deles é reconhecer o vício. Podemos trazer esse ensinamento para a busca da mudança dentro de nós. De quais vícios de comportamento ou pensamento você precisa se livrar? Escreva em um papel o que quer transformar em si. Escolha um dia da semana para ficar de sentinela de si mesma e mudar um desses comporta-mentos. É para montar guarda mesmo! Se você se dispuser, vai funcionar. Nosso cérebro tem uma propriedade maravi-lhosa chamada "plasticidade", que é a capacidade de se mol-dar para um novo aprendizado ou hábito. De fato, não é da noite para o dia, mas vamos lá. Suponha que o objetivo seja pensar mais positivo.* No dia tal, não vou deixar me levar por pensamentos negativos. *Comunique o seu cérebro pela manhã no dia escolhido, toda semana. Coloque lembrete no celular, alarme, o que for.* Ih, pensei. Pensei negativo. E ago-ra? Ih, pensei de novo. *Agora, minha amiga, converse com esse pensamento e peça para ele se retirar. Siga assim, infor-mando ao seu cérebro que aquele caminho automático não está funcionando para você. Aos poucos, com persistência — e leveza — você vai se transformando. Está nas suas mãos. Ficou encafifada com o "leveza"? É porque não adianta se culpar, pois aí serão duas questões a resolver: o pensamento negativo e a culpa por ter deixado um deles escapar. Recome-ce quantas vezes forem necessárias.*

*Se você for do tipo* hard core, *pode também tentar a técnica do elástico: coloque um elástico, daqueles de escritório, no braço. Cada vez que o hábito indesejado surgir, você puxa o elástico bem puxado e solta. Ai! É uma bronca em si mes-ma. Meio radical, mas funciona que é uma beleza. Quando aprendi isso, me lembrei na hora do livro* O Alquimista, *do Paulo Coelho, que li na adolescência. Nele, o mestre orien-ta o discípulo a empurrar a unha embaixo do dedo polegar para se lembrar de que está no caminho errado toda vez que errar. O dedo fica em carne viva e, assim, ele vai se condi-cionando a fazer o que se propôs, com medo de se machucar ainda mais. Mais radical ainda... Afe! Acredito que não precisamos ir tão longe. Portanto, insista no exercício que propus, que é bem mais natural e vai gerar o mesmo resultado. Você é capaz e vai conseguir.*

## ESPELHO, ESPELHO MEU

Livrar-se de hábitos indesejados é um alívio e tanto, e uma baita evolução. Bato palmas para você que começou a, ao menos, tentar mudar. Quanto a adquirir hábitos bons, o que você acha? Esta é outra etapa necessária neste momento de se descobrir, de querer se sentir melhor e mais satisfeita consigo. Para isso, também existem estratégias. Comece identificando as virtudes, qualidades e hábitos que gostaria de ter, mas ainda não tem. "Gostaria de ser mais alegre." "Quero olhar o outro com bons olhos." "Desejo saber perdoar." "Quero ser mais perseverante na academia." Depois de identificar o que quer atacar, vá atrás de inspiração. Encontre alguém no seu círculo de amizade em quem possa se espelhar. Se tiver oportunidade, acompanhe essa pessoa mais de perto. Caso seu objetivo seja, por exemplo, "ser mais positiva", entenda como ela reage aos acontecimentos, o que ela pensa e diz diante de uma frustração. Converse com ela sobre o assunto — as pessoas costumam gostar de ser referência para o outro, ainda mais se o seu pedido for de coração. Você procrastina muito? Cole naquele colega que é o ás da eficiência e cumpre prazos com facilidade. Como ele faz? Ele tem um aplicativo incrível no celular? Como ele prioriza as tarefas? É tão disciplinado que não entra nas redes sociais durante o expediente? Investigue e adote o que fizer sentido para você. Sintonizar essa vontade de mudar já é um bom impulso.

Falando em redes sociais, vale usá-las como recurso de inspiração e informação também. Tem muita coisa útil por lá. Eu mesma tenho um perfil bastante ativo no Instagram, em que dou dicas na área de sexualidade, relacionamento e autoestima, além de divulgar meu trabalho e mostrar um pouco da minha vida pessoal — das férias no Caribe à *selfie* com meias de compressão pós-cirúrgicas. Comigo é vida real, meu bem. Sinto-me absolutamente segura para isso, mas a gente sabe que dificilmente é assim na vida "perfeitona" dos *influencers*.

Tem muita gente para nos inspirar e ensinar nesse mundo on-line! Mas, opa, alto lá! Admire, inspire-se, aproveite o conteúdo sem adorar, sem invejar e, o mais importante, sem deixar que a vida perfeita do influenciador diminua a sua autoestima. Todos temos as nossas batalhas, mas as redes sociais são o lugar de mostrar o que deu certo. Não se engane, minha irmã. As fotos e vídeos do Instagram são um instante efêmero, geralmente melhorado por meio de muitos filtros e aplicativos. Elas nos mostram apenas uma fração muito pequena da vida das pessoas. O grosso do dia acontece fora das câmeras!

Nada de errado em compartilhar com os outros que estamos felizes, não é? Bem, do ponto de vista do dono do perfil, sim, mas, sob a ótica do seguidor, não. Alguns especialistas deram até nome para isso: felicidade tóxica, aquela que causa desconforto. No início de 2019, uma pesquisa britânica sobre o assunto fez bastante barulho na imprensa. Ela identificou que as taxas de depressão entre jovens e adolescentes subiram 70% nos últimos 25 anos. Além disso, mostrou que o uso de redes sociais afeta principalmente meninas e mulheres. O Instagram foi considerado o aplicativo de compartilhamento mais nocivo: impacta negativamente o sono e a autoimagem. Os pesquisadores chegaram a alertar que mais de duas horas por dia em rede social bastam para deixar o usuário mais propenso a distúrbios de saúde mental. Não foi por acaso que, na metade do mesmo ano, o Instagram omitiu o número de curtidas, argumentando que, com a nova medida, as pessoas se concentrariam mais em conteúdo e menos em números de aprovação, que geram ansiedade.

Você não é mais uma adolescente, eu sei — ou será que é e está aqui me lendo? Fiquei curiosa. De qualquer forma, acredito que consiga entender como essa pressão social acontece, assim como sabe o que é ficar horas e horas no celular, gastando tempo precioso de sono. Tome as rédeas! Se você sentir que algum perfil faz você se sentir oprimida, deixe de seguir sem medo! Isso vai impedir que a sua autoestima fique abalada, e mais: vai fortalecê-la. Acione o *timer* de redes sociais, se o seu celular tiver essa funcionalidade — ele avisa quando você atinge o tempo de uso diário, estipulado por você mesma no aparelho. Quando faz escolhas desse tipo, você está cuidando não só da sua saúde mental, mas mostrando que sabe o que quer, o que te faz bem e quem vale a pena ter por perto. É um ótimo passo para se tornar bem resolvida!

Outra dica que eu uso — pode ir lá no meu perfil no Instagram (@catiadamasceno) e verificar — é seguir uma quantidade restrita de pessoas. Eu me limito a aproximadamente cem, para otimizar meu preciosíssimo tempo. Gosto de seguir lugares para viajar, para servir de inspiração, lugares que vou batalhar para conhecer; perfis de arquitetura e decoração, para ver lugares lindos, lugares onde eu gostaria de morar e que, novamente, vou batalhar para fazer acontecer; algumas amigas *influencers* que me inspiram com sua forma de trabalhar; e perfis de frases motivacionais. Ainda adoto outra estratégia que pode servir de inspiração: não sigo os meus amigos pessoais nas redes, para não correr o risco de ficar sabendo da vida deles apenas pelo que postaram. Isso me força a estar em contato com eles por meio de ligações ou mensagens trocadas pelo WhatsApp ou, o melhor de tudo, por meio de encontros presenciais!

# DÊ MENOS OUVIDO (E NÃO SE VITIMIZE)

A vida toda me disseram que eu era preguiçosa. Meu pai, mais especificamente, vivia me chamando de preguiçosa. Por quê? Ele não percebia que eu tinha dificuldade em acordar cedo e, mesmo que acordasse, não conseguia despertar rápido. Produzir desde às sete horas da manhã? Um suplício para mim! Quando amadureci e vi o quanto eu trabalhava, o quanto estudei e como lutava incansavelmente todos os dias, entendi que não era preguiça. É o meu ritmo, que é noturno, diferente do da maioria das pessoas. Não foi por acaso que escolhi fazer faculdade no período vespertino. Depois, percebi que ia superbem no trabalho com os chás de lingerie, que aconteciam à noite — chegava às duas da manhã em casa ainda cheia de energia! Mas, de manhã, minha amiga, não era comigo. E ainda não é. Esse tipo de revelação é um exemplo exato de autoconhecimento. Entendendo melhor como sou, como eu funciono, consegui não só reorganizar meu cotidiano, como ressignificar aquele "preguiçosa" pesado que me jogaram no colo e que eu carregava desde então.

Simplesmente parei de me condenar — que alívio! Passei a me rotular menos, a me cobrar menos por acordar cedo e a realizar tarefas em outros horários. Hoje em dia, gravo os vídeos do canal e faço minhas reuniões à tarde, minhas consultas médicas são sempre no último horário da manhã e não escrevi uma linha deste livro antes das duas da tarde. Aliás, para ser bem precisa, agora são 21h11 e ainda vou continuar aqui por um bom tempo. Reservo a manhã para dormir (costumo acordar às 9h30), para fazer minhas aulas de ioga aqui em casa mesmo (às 10h), para ir ao salão e para brincar com os pequenos. Se meu trabalho permite essa flexibilidade, tenho a obrigação de adequar minha rotina da melhor forma — isso é se responsabilizar. O que fiz foi me estruturar para que esse esquema funcionasse. Enquanto não pude, como quando as crianças eram pequenas ou quando estava no meu período de perrengue financeiro, acordava cedo e fazia o que tinha que fazer. Ainda hoje, flexibilizo também: tem voo marcado pela manhã? Lá estou eu, pontualmente na sala de embarque. Como já me conheço, no dia anterior faço as malas e deixo tudo preparado para o dia seguinte. É só acordar no modo sonâmbula, vestir a roupa que já está separada, colocar a mala dentro do carro e ir fazendo a *make* no caminho para não precisar acordar quinze minutos mais cedo (sim, sou dessas).

Outra coisa que o autoconhecimento me proporcionou foi saber que meu corpo precisa de pelo menos oito horas de sono, portanto, em dias de compromisso pela manhã, nada de avançar no celular madrugada adentro. Isso tem a ver com responsabilidade e garra, com trabalhar com o que se tem em mãos. Acordar mal-humorada ou perder um compromisso de trabalho porque "não funciono de manhã", sabendo de antemão que preciso estar alerta naquele horário, seria apenas infantil da minha parte, para não dizer totalmente irresponsável.

Agora vou contar um segredo: até hoje, em algumas situações, ainda uso o "preguiçosa" para me referir ao meu comportamento, mas sempre achei isso muito estranho. Pensava: como posso, mesmo depois de me resolver com essa questão, ainda dizer que estou sendo preguiçosa? Encontrei a explicação um tempo depois. O psiquiatra brasileiro Diogo Lara conduziu uma pesquisa extensa usando formulários com perguntas de escala, aquelas que a gente avalia o quanto concorda ou discorda. Depois de analisar 15 mil respostas, ele conseguiu mensurar que as ofensas ditas pelos pais — desde palavras indesejadas como "preguiçosa" até mais graves como "você é muito burra" ou "você só atrasa a minha vida" — são as que mais ferem a autoestima da criança e as que formam a memória mais amarga que ela carrega na idade adulta. São formas de abuso emocional. Ele também fez uma comparação com outras formas de abuso e verificou que as ofensas podem ser mais danosas do que as palmadas e, em alguns casos, mais até do que episódios de violência sexual. Você consegue imaginar o quão grave é isso? Eu tinha, então, encontrado a explicação: o rótulo foi impresso no meu cérebro, e eu o carrego comigo até hoje. Quando ele aparece, preciso fazer o esforço de contar a mim mesma que esse não é um adjetivo que me cabe. Não sou preguiçosa. E ponto.

É sobre isso que quero falar ao nomear esta seção de "Dê menos ouvido". Quando a gente passa a se conhecer melhor, também começa a identificar o que em nós são defeitos e o que são características que podem soar como defeitos aos olhos dos outros. Quando a gente amadurece e se responsabiliza pela nossa história, duas coisas mágicas acontecem: primeiro, criamos estratégias para lidar com essas características consideradas negativas da melhor forma possível — vide o exemplo que dei sobre acordar cedo —; segundo, a opinião do outro, se for infundada, entra por um ouvido e sai pelo outro. A gente simplesmente ignora! Isso economiza energia, previne mal-entendidos e, por fim, não cansa a beleza. Vou deixar uma sugestão de vídeo do professor Leandro Karnal, disponível no YouTube. Chama-se "Não perca tempo com gente babaca" (pesquise pelo título na barra de busca do site). De uma forma bem-humorada, ele fala sobre o que já conversamos até aqui e que é universalmente conhecido pela famosa frase de Sócrates, "Conhece-te a ti mesmo". Karnal nos fala sobre como a importância de nos conhecer evita mal-entendidos, pois, a partir do momento em que você se conhece, ninguém te ofende. Você sabe se a pessoa está dizendo a verdade ou uma mentira, e em nenhum dos casos você deve se ofender: se for uma verdade, é exatamente isso que é; se for uma mentira, não há por que se ofender.

## SEM TEMPO PARA VITIMISMO, IRMÃ

Até aqui, falei de um defeito que não reconheço como meu, mas todos temos traços negativos. Como disse antes, podemos perceber a existência deles em um doído *bullying* entre amigos, porque você "fala muito alto"; em uma briga com irmãos e pais, que chamam você de "enrolada"; ou em uma bronca do chefe, que te acusa de "procrastinar demais". Se as pessoas falam algo de você, mas você não enxerga aquilo como uma verdade, o caminho é apenas ignorar. Contudo, se o que é dito pode ser verdade e tem relevância em sua vida, você precisa decidir se vai continuar insistindo no que considera um erro ou se vai mudar. Aí vem a questão da autorresponsabilidade: ouvir menos os outros é ótimo, mas é preciso também ter iniciativa para transformar o que for possível, desde que essa seja sua vontade, óbvio. Talvez eu tenha uma porção preguiçosa mesmo, não sou perfeita. Mas essa característica não pode definir a minha personalidade. Não posso me acomodar no defeito. Quero que você pense em algo que não gosta em si, no que considera seus verdadeiros defeitos e no quanto eles afetam a sua autoestima. Convido você a pensar sobre o quanto tem usado tudo isso como desculpa para estacionar o seu progresso. Vou ser mais clara: você tem se vitimizado por causa de alguma coisa?

A minha história com a palavra "preguiça" é um exemplo, a minha história de separação é outro. Ainda posso mostrar outra situação, mais leve, mas que tem a ver com transformar o cenário. Uma vez, fui como convidada palestrar em um evento. Eram três dias em um hotel no meio do mato, sem sinal de internet. Minha palestra aconteceria logo no primeiro dia. Nos outros dois dias, curso. Não sei por quê, mas entendi errado e, chegando lá, não era bem isso. Haveria apenas algumas palestras de convidados, assim como eu, alguns intervalos e, no restante do tempo, os participantes fariam longas reuniões para troca de ideias empresariais. Quando me vi presa ali, longe dos meus filhos e do meu marido, me perguntei: o que estava fazendo naquele mato, por que raios tinha embarcado nessa? Fiquei muito irritada. Queria fugir, mas não tinha como. Poderia ter ficado num mau humor daqueles! Poderia ter passado os dias emburrada, porque, afinal, havia caído em uma furada. Mas, como essa história de se acomodar não combina comigo, me fiz outra pergunta: "Então, Cátia, o que tem de bom nesta situação?". E fui atrás de me ocupar. Além das boas palestras, que assisti com atenção redobrada e anotando tudo, tinha ganhado um livro, que aproveitei para ler nos intervalos. Zero internet? Ok, vamos meditar. Criei conteúdo para o canal. Pratiquei meus exercícios de pompoarismo com atenção total, com calma — quem tem filhos em casa sabe o valor de realizar uma tarefa com calma. Tirei proveito da situação.

Existe uma teoria, desenvolvida pelo escritor americano Stephen R. Covey, chamada "O princípio do 90/10". De acordo com essa teoria, apenas uma pequena parte dos acontecimentos de nossas vidas, 10% deles para ser mais precisa, depende das circunstâncias; já os outros 90% dependem de cada um, de como agimos ou de como reagimos aos 10% que não dependem de nós. Uma chuva torrencial que impede a decolagem do voo, um vinho que alguém derrubou no seu vestido de festa (que era emprestado...), alguém que bate no seu carro estacionado, nada disso você pode mudar; aconteceu e ponto. Agora, vale refletir sobre nossos descontentamentos e pensar no que a gente anda fazendo com os outros 90%.

Para transformar uma situação, para ressignificar um rótulo, é preciso agir, seja tomando uma decisão prática — matricular-se em um curso, por exemplo —, seja mudando a maneira de enxergar uma situação, como fiz no hotel. E se o que acontece com você, o que te prejudica, envolve outra pessoa? Vamos supor que você é fechada por um carrão, quase se acidenta e ainda vê o cara passando no vermelho em seguida. É o caso de xingar muito e persegui-lo para devolver a ofensa? Esta é uma saída possível, mas arriscada, cujo resultado eu, pelo menos, não quero pagar para ver. Prefiro pensar que ele está precisando salvar alguém, que tem um filho doente no carro, está correndo para o hospital... Ou que está com diarreia — a situação fica até engraçada. Não posso interferir na decisão que esse motorista tomou de quase causar um acidente (ou dois). Posso até pensar que ele é mesmo um grande babaca, mas, ainda assim, não posso interferir em sua conduta. Pronto, emoção alterada para melhor. Esse esforço mental que transforma o meu estado emocional depende só de mim. Com a prática, virar essa chave fica mais fácil. Quando a gente é dona de si, aproveita a vida de um jeito diferente, olhando para o que tem de bom nela. Isso inclui os relacionamentos e a vida profissional também.

## UMA COISA LEVA A OUTRA

Em uma palestra de Tony Robbins, vi um esquema que leva o nome de "O ciclo do sucesso". Ele explica por que algumas pessoas vão em frente e outras ficam bloqueadas, em qualquer área. Nesse esquema, o potencial, a ação, o resultado e a crença se mostram interligados, formando um ciclo que pode ser negativo ou positivo. Resumindo, a ideia é que resultados positivos geram crenças positivas, e isso influencia o seu potencial para agir e também a sua próxima ação, que será positiva, cheia de energia — porque você está confiante! —, o que confirma a sua crença de que você é boa naquilo, influenciando seu potencial, e assim vai... Entendeu? O oposto também acontece. A pessoa se deixa levar pelo resultado negativo, que mina a sua crença — "Sabia que não ia funcionar mesmo...". "Quem mandou ser preguiçosa, por isso deu errado." "É claro que ele não ia gostar de mim, chata desse jeito." Esse tipo de pensamento, que pode vir dos rótulos da infância ou não, diminui o seu potencial, enfraquecendo a ação seguinte e promovendo outro resultado negativo... o que culmina em desistência.

Este último cenário tem muito a ver com vitimismo. Nessa situação, fica fácil culpar alguém ou alguma coisa — ou a falta de alguém ou de alguma coisa. Vamos resistir! Tentar de novo. E lembre-se de que não adianta apenas pensar que vai dar certo; isso é ingênuo. Una a iniciativa a esse pensamento, faça acontecer. Mantenha o entusiasmo e a confiança. Volte a ler a sua lista de qualidades para se energizar e retomar a confiança e a segurança em si mesma. Para usar uma expressão bem regional: sou brasileira e não desisto nunca!

## MUDAR ESTÁ NAS SUAS MÃOS

Vamos para a questão da estética, que dá muito pano para a manga e serve bem para tratar desse ponto importante, que é avaliar o que realmente é defeito. O que é motivo de descontentamento no seu visual? O que te desagrada genuinamente? O que você condena em si, mas só o faz porque desagrada a sociedade, ou porque desagradava algum ex-namorado?

Sou ruiva original de fábrica e tenho sardas, muitas sardas. Nunca gostei delas, claro. Digo "claro" porque o mundo me apontava cada pintinha, os cabelos ruivos, a minha diferença entre tantos iguais. Como já contei aqui, a leitura que fiz sobre ser diferente foi: sou feia. Quanto tempo perdido! Pensei até em tirar minhas sardas. Poderia? Sim, existe procedimento para isso, doído pra burro e caro à beça! Estudei essa questão por um tempo, intimamente. Procurei as minhas verdades e cheguei à conclusão de que tirá-las seria negar a minha própria identidade. Aprendi a aceitá-las e conviver com elas. O que aconteceu na sequência? Passei a gostar de cada uma, de verdade, e hoje afirmo com convicção: minhas sardas me deixam única e mais bonita. Leu bem? Sou mais bonita porque tenho sardas, é assim que me sinto.

Já do nariz, não gostava mesmo; este era um descontentamento completamente meu. Sim, eu já operei. Não ficou exatamente do jeito que eu queria, mas resolvi não mexer de novo. Mais tarde, quando eu estava com 30 anos de idade, depois de duas amamentações, meus seios já não estavam do jeito que eram antes. Também mexi ali. Foi meu presente de aniversário — dividi o pagamento em dez vezes, que era o máximo que dava para dividir, fiz um empréstimo e ainda pedi uma parte para mamis. Dei meu jeito e coloquei as próteses. Aliás, recentemente troquei as duas, porque depois dos 30 tive mais dois filhos, e a gravidade atuou novamente, além de já contar treze anos de prótese. Era a hora de trocar mesmo. Mudei o que pude, aceitei o que não pude, e bola pra frente.

Mas espera porque tem mais: sempre fui muito magra. Minha magreza era notável, e eu não gostava disso. Seria porque todos faziam questão de destacar essa característica em mim como algo negativo? Seria porque nunca tinha roupa para o meu tamanho nas lojas adultas (e eu sempre tinha que mandar apertar ou comprar em seção de roupa infantil mesmo)? A questão é que fui percebendo, com o meu trabalho perto de tantas mulheres, que aquele corpo físico não era o meu único cartão de visitas; que outras características minhas chamavam ainda mais a atenção do que a magreza. Aos poucos, me percebi como uma pessoa com quem as mulheres gostavam de conversar. Elas estavam perto de mim porque se divertiam me ouvindo contar as histórias do jeito como eu as contava (lembra do exercício de listar as qualidades? Ele me ajudou com esta questão aqui, olha que incrível!). Como gosto de estar perto de pessoas, fui desenvolvendo melhor a habilidade da comunicação. Com isso quero dizer que, além da questão do dom, do talento nato, existe também o esforço. Sou espontânea, mas treino o jeito como conto uma história ou uma piada. Vejo se ela dá certo, seja em uma roda de amigos, seja no palco — dedico-me a lapidar essa característica positiva em mim. O resultado é que, hoje, as pessoas prestam mais atenção nesse aspecto, pois é assim que me vejo. É essa característica que coloco na frente do meu corpo.

Mas vou te dizer: não descuido dele, não. Aliás, no ano passado eu criei um projeto para mim: #engrossandooscambitos. Sempre achei lindo mulher de canela grossa, e já tentei todo tipo de abordagem, cheguei até mesmo a cogitar a possibilidade de colocar silicone na panturrilha para engrossar os cambitinhos, mas o cirurgião me contou, bem sincero, que ficaria pior, a canela pareceria ainda mais fina. Lembro-me de uma das inúmeras vezes em que iniciei a academia, lá por volta dos 20 e poucos anos. O professor fez aquela clássica pergunta a quem vai para a academia pela primeira vez: "Qual é o seu objetivo com o treino?". Eu, sem pestanejar, disse: "Engrossar as canelas". Ele olhou bem para minha cara, bem para minha canela e, com o dom da sinceridade, disse: "Você sabe que canela é só pele e osso, né? Não tem músculo, então não tem como engrossar". Quase peguei meu diploma de fisioterapeuta e rasguei de tanta vergonha, porque ele não falou nada que eu já não soubesse, embora a esperança por um milagre sempre exista... E foi assim, depois de algumas verdades, mas não sem antes esgotar todas as possibilidades, que aceitei que minhas canelas são finas mesmo e bola pra frente encarar os shorts e vestidos. Ah, quanto ao projeto #engrossandooscambitos, sim, deu supercerto, mas era um projeto para ganhar massa muscular e eu consegui atingir o objetivo: foram cinco quilos de músculo com muito *crossfit*, alimentação adequada e acompanhamento do melhor nutrólogo de todos, Dr. José Wilson Ribas, que me mostrou que cuidar do corpo, mais do que estética, é uma questão de saúde e longevidade.

Sei que dizer "bola pra frente" é uma característica minha que me ajudou a chegar onde estou. Eu juro que procuro ser compreensiva, mas tenho uma grande dificuldade em aceitar que as pessoas reclamem de suas vidas sem se movimentar para transformá-las. *Por isso digo assertivamente que nós temos duas alternativas na vida em relação tanto ao nosso corpo quanto às coisas que acontecem conosco: ou aceite e seja feliz, ou vá lá e mude.* O que não vale é aquilo que, infelizmente, a maioria das pessoas faz, que é passar a vida apontando os próprios defeitos ou reclamando da vida, ressentida, e não fazer absolutamente nada para mudar. Note que esse tipo de pessoa prefere botar a culpa de suas faltas no acaso, no destino ou, pior, nos outros — é o tal do vitimismo. "Não faço atividade física nenhuma porque trabalho demais." Será que não consegue trocar nenhuma outra atividade do dia por uma caminhada? Se trabalha ou mora em prédio, não pode abandonar o elevador, estacionar o carro mais longe, levar um tênis e ir andando? "Nunca sou promovida porque nesta empresa só tem puxa-saco." Será? Será que não falta você mostrar um pouco mais de proatividade? "Não me visto bem porque nenhuma roupa fica boa no meu corpo." Será? O que está por trás dessa crença? Tome as rédeas e mude essa situação. Pense que a gente sempre pode — e deve — melhorar.

Se você não gosta da sua aparência, tem apenas duas alternativas: esforçar-se para mudar o que não admira ou aceitar o que tem em mãos e conviver com isso numa boa. Sim, são apenas duas alternativas. Se você pode, vá lá e mude, minha amiga. Se você deseja ver um peso mais baixo apontado na balança, encontre uma maneira saudável de emagrecer: o que não falta hoje em dia é tutorial gratuito na internet de exercícios e dicas *fitness*. Se está magra e isso te deixa infeliz, ganhe mais massa muscular. Algumas dizem: "Ah, mas não tenho condições". Salvo raras exceções, como pessoas com doenças crônicas, todo mundo tem condições de mudar. O que falta é o querer, a vontade. Ai, essa doeu. Desculpe-me pela sinceridade, mas eu avisei que daria umas broncas... E essa é do bem, tá? Não fica brava comigo! Acredito que a gente consiga dar um jeito em tudo, mesmo que demore. *Escolha tomar uma atitude madura e se responsabilizar por seu presente e seu futuro. Isso se chama "autorresponsabilidade".*

É fácil? Não, é um verdadeiro desafio. Para isso, bato na tecla do autoconhecimento. Temos que compreender o que sentimos e qual é o valor desse conjunto de emoções que ora nos impulsiona, ora nos joga para baixo. Isso tem a ver com inteligência emocional. A inteligência emocional é a capacidade de reconhecer emoções, as nossas e as dos outros, de entender a diferença entre sentimentos diversos e, também, de nomear esses sentimentos corretamente. Não é pouca coisa! Quem nunca levou dias para entender que estava triste? E quando você está quase explodindo de irritação e se lembra que é a TPM batendo na porta? Feito uma bexiga de festa que murcha no ar, a gente sente o alívio na hora, simplesmente porque descobriu o que estava incomodando. No livro *Inteligência emocional*, de 1995, Daniel Goleman afirma que pessoas com maior quociente de inteligência emocional se dão melhor na vida, mesmo se o quociente de inteligência, o QI, for mediano.

Até aqui, deixei bastante material para você pensar. O caminho rumo à boa autoestima está sendo construído. Uhuuu! Então vou terminar com uma frase para provocar mais reflexão, e que vai servir como preparação para o próximo tópico. Essa frase também é atribuída a Jung: "Não sou o que aconteceu comigo. Sou o que escolhi me tornar".

# PERDOE. PERDOE-SE

Você talvez tenha se perguntado sobre o que penso do meu pai, por conta do episódio da preguiça, que me marcou tanto. Depois de muita terapia, leituras e, principalmente, depois da minha formação em *master coach*, entendi algo extremamente valioso: cada um dá o que tem. Como meu pai poderia demonstrar compreensão e afeto se, durante a infância dele, não recebeu nem uma coisa nem outra? Ele foi criado em um orfanato, teve uma vida difícil. Me deu o pouco que tinha. Dizer que eu precisava me formar antes de me casar, por exemplo, pareceu uma proibição severa, mas entendo que, naquele momento, ele pensou em mim como indivíduo, e não como uma mulher fadada a ser dona de casa. Você pode pensar que sou muito legal, muito compreensiva. Não, também tenho os meus pontos fracos. Por um tempo, fiquei magoada com ele, pensando em como minha criação tinha me prejudicado. Porém, quando vi que esses pensamentos só me deixavam paralisada e triste, analisei melhor a situação e mudei a direção. Não foi da noite para o dia, mas consegui. O que fiz para sair daquele sistema de remoer e me ver como vítima foi perdoar. E vamos falar a verdade: para a maioria das pessoas este não é um caminho muito fácil.

Os pais erram a mão em diversas ocasiões. Tenho certeza de que estou tropeçando na educação dos meus filhos em alguns aspectos, porque todas as mães tropeçam. Se você prestar atenção na sua criação, vai encontrar várias desculpas para não seguir em frente: você é a filha mais velha e exigiram muito mais de você do que do seu irmão caçula; você é a caçula e foi muito mimada; você é a do meio e foi esquecida; você não ganhou aquela festa de aniversário prometida; você foi mimada de menos; sua mãe trabalhava demais; sua mãe nunca trabalhou e depositou toda a felicidade dela na sua existência. Acredito que tudo possa servir de lição na vida. *Tudo o que "dá errado" tem algo a nos ensinar — nem que seja ensinar a não repetirmos o erro* ou a diminuirmos nossa expectativa a respeito dos outros. Como disse antes, cada um dá o que tem, e não controlamos o que os outros têm nem o que dão.

O perdão é bastante estudado na área médica no mundo todo. Um estudo recente liderado pela pesquisadora brasileira Suzana Avezum analisou dois grupos, um de pacientes da UTI que haviam sofrido infarto agudo do miocárdio e outro de pessoas sem doença cardiovascular conhecida. O número de mulheres e homens era o mesmo entre os dois grupos, assim como o nível socioeconômico e a escolaridade. Suzana observou que havia maior dificuldade para perdoar entre os participantes infartados. A explicação é que a pessoa ressentida segue produzindo elevadas quantidades de hormônios como o cortisol, que aumenta os riscos de doenças do coração. E mais: causa fadiga, baixa imunidade, estresse e contribui para o desenvolvimento de quadros depressivos. Segundo a neurociência, quem consegue perdoar tem regulados os níveis de serotonina, o neurotransmissor responsável por sensações importantes como prazer, calma, bem-estar, saciedade e bom humor. Quem é mais bem resolvido, então?

Ser empática com o meu pai foi importante para conseguir compreender e perdoar a sua rigidez e as palavras duras.

*Empatia é a capacidade de ver com os olhos do outro, sentir o que o outro sente, entender como o outro pensa, ou seja, se colocar no lugar do outro.*

Não é sentir pena, mas se deixar sensibilizar pela perspectiva da outra pessoa. É o contrário de "olhar para o próprio umbigo", essa expressão que resume tão bem a pessoa ensimesmada, que, por estar com a cabeça abaixada, não enxerga nada ao redor. Acredito que precisamos de empatia para exercitar o perdão. Veja bem, isso não é esquecer nem concordar com o que foi feito, tá? Trata-se de eliminar daquele episódio a carga negativa. Você sabe que chegou lá quando revive a situação em pensamento e percebe a dimensão daquele acontecimento na sua vida, mas sem o componente da dor, ou quando reencontra a pessoa e não sente ressentimento nem raiva incontroláveis. O que aconteceu, ou quem prejudicou você, não desaparece, mas ganha um novo espaço em sua vida, um espaço mais contido. Aquilo, afinal, faz parte da sua história.

Não somos anjos, então não se iluda achando que perdoar é um ato automático de bondade. Não é. A expressão "exercício do perdão" não existe à toa. É um exercício mesmo, diário, que parte de uma decisão, em primeiro lugar; depois, vem o reconhecimento dos seus sentimentos: assuma sua raiva, seu desapontamento, sua tristeza. A religião, a psicologia, a astrologia, os espiritualistas... Todos falam da importância de perdoar e oferecem técnicas diferentes para chegar lá, mas sempre indicando que é um processo, e não um ato isolado. Uns sugerem que você mentalize e visualize o oponente, procurando enxergá-lo como uma criança e buscando entender o que ele sofreu para agir daquela maneira. Outros propõem frases afirmativas, como "eu liberto você, eu te perdoo", que podem ser ditas em um momento de interiorização diário. Alguns indicam que você procure a sua parte de responsabilidade no acontecimento, para minimizar e compreender a ação do outro (eu disse "responsabilidade", não "culpa"). Outros sugerem que você converse com quem te fez sofrer, se for o caso, exprimindo sua raiva e sua tristeza — quem sabe essa pessoa não explique seus motivos e peça desculpas, e o imbróglio se desfaça no ar? Você pode fazer isso mesmo se a pessoa não estiver mais entre nós. Foi o que aconteceu comigo: meu pai não está mais por aqui já faz um bom tempo. Nesse meu processo de desenvolvimento, eu conversei com ele no lugar mais seguro do mundo, dentro do meu coração. Disse a ele que o perdoava e o aceitava exatamente como é. Outra dica? Todos conhecemos alguém próximo que conseguiu perdoar. Fale com essa pessoa, pergunte como ela virou a chave. Inspire-se no percurso dela e, então, tome a decisão de seguir em frente. Ah, e tenho mais uma dica que sempre funciona comigo. Lembra daquela minha advogada lá do começo do livro? Durante muito tempo, ela usou uma frase como rodapé do e-mail que é atribuída a vários pensadores e diz o seguinte: "Guardar ressentimento é como tomar veneno e esperar que a outra pessoa morra". Daí eu penso: como não quero morrer, melhor perdoar logo.

Ah, minha amiga, ninguém disse que é simples, mas vamos sair dessa! Quem você gostaria de perdoar? Lute para conseguir. "O fraco nunca perdoa. Perdão é atributo dos fortes." Essa frase é de Mahatma Gandhi, pacifista indiano que sofreu muitas injustiças enquanto pregava a justiça social. Se para ele era difícil, não é para a gente que vai ser fácil. Porém, é possível.

## MAS E VOCÊ, HEIN?

Imagine esta cena: você e uma colega de trabalho precisam entregar um relatório importante hoje. São duas boas funcionárias, responsáveis, mas nenhuma foi capaz de terminar o trabalho no prazo combinado. Estão as duas se sentindo culpadas e preocupadas. O que você diria a essa colega minutos antes de entrarem na sala do chefe? E se a única atrasada fosse você, o que diria a si mesma? Eu acho que você consolou a amiga na primeira situação e se culpou e martirizou na segunda. Acertei? Essa historieta que inventei aqui com os meus botões é para ilustrar o seguinte: em diversas situações, é mais fácil perdoar o outro do que se perdoar. Costumamos ter um olhar de julgamento muito mais feroz quando a autora do erro somos nós mesmas.

Estamos em um momento de tamanha exigência com o papel que a mulher deve exercer, que temos dificuldade de nos permitir momentos de autocompreensão ou de fragilidade. É preciso ser forte, dar conta dos filhos, da família, dos boletos; tem que ser sexy, estar com o cabelo arrumado e as unhas feitas; ser bem-sucedida no trabalho e no amor. Assim fica cansativo. Fica mais fácil se atrapalhar e... errar. Ah, quantas vezes, exausta, no fim do dia, não dei uma resposta atravessada para o marido? E quanto tempo não fiquei sofrendo por ter agido assim? Um erro que se comete no trabalho, um fora que a gente dá com uma amiga, um mau humor desnecessário, o parente próximo que a gente esquece de cumprimentar pelo aniversário, o relacionamento que não deu certo, o filho que levou bronca sem precisar...

Pense comigo. O que aconteceu no passado — seja há uma hora ou há décadas — pode ter sido um passo errado ou uma escolha errada, mas foi o que você deu conta de fazer naquele momento. São as consequências de um erro que nos levam para a frente, porque nos permitem ressignificar a própria escolha. Comece pedindo desculpa a alguém que você machucou, se for o caso. Demonstre que tem amor-próprio conversando mentalmente consigo mesma. Pergunte-se: "O que eu diria a uma amiga se ela tivesse cometido um erro igual ao meu?". Tendo a acreditar que a maioria das falhas é perdoável. O que você diria, afinal? "Amiga, o que é isso, você é uma pessoa incrível; se ele não topou estar ao seu lado, paciência. Você vai se dar bem melhor no próximo relacionamento." Agora eu te peguei, hein? Menti ou falei a verdade? Não é assim que a gente fala com as amigas? A gente consola, perdoa, motiva, alegra. Seja amiga da sua mente e do seu coração, seja compreensiva e se perdoe. Esta é uma boa oportunidade de desenvolvimento pessoal.

Isso não significa que não devemos estar atentas ao erro, seja o nosso, seja o do outro. Não mesmo. Reconhecê-lo é ferramenta para evitar um novo deslize e, também, um termômetro para entender como perdoar uma pessoa. Não é preciso virar a melhor amiga de quem te fez mal — por vezes, sem dó nem piedade. Trata-se de estar advertida, de se sentir livre e segura para restabelecer o relacionamento com o namorado que pulou a cerca, caso perceba que ele está arrependido de verdade, e para se afastar também. O importante é perdoar.

*Minimizar a atuação, tanto do eu julgador quanto do eu que remói eternamente o erro do outro, liberta a gente. Nos dá espaço para progredir, realizar e crescer.*

# PERMITA-SE

"A mudança de movimento é proporcional à força motora imprimida." Não sou eu quem está dizendo, é o físico inglês Isaac Newton. Vamos traduzir esse recado? Só muda quem quer; quem se esforça para sair do sofá. Só muda quem se dedica a mudar. Mudar muito ou pouco vai depender de quanto esforço foi feito por você. Essa é a famosa Segunda Lei de Newton, e sempre penso nela quando me perguntam "O que fazer para mudar?". Vamos supor que seja um relacionamento longo. Se você está casada há vinte anos e segue preparando as mesmas receitas, viajando para os mesmos lugares, usando as mesmas roupas, dizendo as mesmas coisas, fazendo os mesmíssimos carinhos, repetindo posições e brigando pelos mesmos motivos... como esperar um resultado diferente, mulher? Não vejo esforço de mudança no horizonte. Já ouviu aquele famosa frase que diz: "Insanidade é continuar fazendo sempre a mesma coisa e esperar resultados diferentes"? Pois então!

Mudar envolve coragem. Esses dias, assisti com meus filhos a um filme de que gostei muito, *Os Croods* — adoro desenhos. É a história de uma família pré-histórica que sai da caverna somente durante o dia para caçar, até que a filha mais velha passa a sentir o desejo de acompanhar a luz do sol até ele se pôr e começa a se arriscar noite adentro. Ela não conhecia o mundo fora da proteção da família e da caverna, mas enfrenta o medo e descobre um jeito novo de existir, cheio de riscos e incertezas, mas repleto também de novas possibilidades e relacionamentos. Não é preciso esperar que a vida fique chata para ir atrás de novidades, mas, se tudo se mantiver igual para sempre, aposto que vai ficar. A menina do filme não estava necessariamente sofrendo, mas entendeu que havia muito mais vida do que aquela que ela conhecia e resolveu apostar no novo. Quanto ensinamento tem aí! Sugiro de verdade que você assista a esse filme; se tiver crianças, então, é excelente para incentivá-las a explorar novidades.

Quando faço uma viagem, quero comer a comida local, escutar a música daquele lugar, vivenciar e me integrar à cultura de lá. Quero me permitir experimentar o novo, o diferente, mesmo que depois eu não goste. O importante para mim é ter experimentado. Agora já posso dizer que tenho parâmetros e referências para dizer se gosto ou não. Quero me permitir ser de outra maneira. Existe tanta gente diferente no planeta, tantos modos de pensar e agir, tantos sabores! Arroz e feijão é ótimo para a dieta dos brasileiros, e a gente ama essa combinação, mas nada como a explosão de sabores da comida tailandesa, as texturas e a beleza da comida japonesa e o refinamento da culinária francesa. Sem falar nas danças típicas de cada região: um envolvente tango argentino, um *caliente* flamenco espanhol, cada um com trajes e cores diferentes... Eu fico fascinada! Acredito que funciona da mesma maneira no sexo. Se você está no arroz e feijão, saiba que há muito a ser feito no sexo e para o sexo. Só que não dá para saber do que se gosta, ou não se gosta, sem antes tentar. Não estou falando aqui de procurar um parceiro novo nem de experimentar lugares ou aceitar convites que não te agradam — nunca, jamais, de jeito algum. Quem está em um relacionamento longo pode pensar em mudar aos poucos e ir além. Ousar na lingerie é um ato pequeno, que vai gerar uma mudança (pequena, mas importante). Daí para a frente, você pode aproveitar o espelho, mexer na iluminação do ambiente, procurar um novo ambiente, seja em casa, seja procurando um hotel ou motel (pare com essa mania de transar só no quarto e só na cama e sempre na mesma posição!). Se combinar com o seu estilo, tente o sexo em uma cachoeira vazia ou no carro parado no topo do morro, com uma vista de tirar o fôlego. O diferente atiça nossa curiosidade! Nossos olhos ficam atentos, nossos sentidos ficam aguçados. O oposto ocorre com o que vira hábito: passamos a não mais enxergar as etapas nem os detalhes, porque tudo já foi explorado ali. A fonte de novidade secou. E novidade, minha amiga, novidade excita, dá um gás na gente! Pense aí você no emprego novo, nos primeiros dias da faculdade, na primeira viagem ao exterior, nos primeiros encontros com o namorado, na primeira vez praticando um esporte. Lembre-se, agora, de como estava o seu nível de atenção nessas situações.

A lição sobre buscar o novo vale para o sexo e também para a vida em geral. O emprego vira hábito, os fins de semana se tornam habituais, nosso jeito de se vestir e se maquiar, nosso corte de cabelo, a relação com os filhos, a compra no supermercado, e por aí vai. Mas de repente, em um ato simples e corriqueiro, compramos um xampu novo e tomamos aquele banho gostoso, sentindo o perfume do produto que era até então desconhecido; o cabelo responde com um brilho nunca visto antes e... E, depois de algum tempo, o cheiro não emociona mais, o cabelo não responde tão bem como nas primeiras vezes. A gente simplesmente se acostuma com o xampu. O diferente todo dia ninguém aguenta, mas fazer tudo igual, para sempre, também não. Busque o equilíbrio entre a tradição e a novidade. Não tem xampu novo todo dia, mas quando tem, que delícia!

Depois que me separei e fui me sentindo livre para paquerar e namorar como qualquer outra mulher solteira, conquistei aos poucos uma liberdade que nem todas as mulheres têm: fazer sexo com o *crush* quando eu estava a fim, mesmo que fosse no primeiro encontro. E também fazer sexo com vontade, pelo simples prazer de ter prazer e sem travar por medo do que o sujeito poderia pensar. Quando entendi que isso não me levava a lugar nenhum, foi libertador. Estava buscando o meu prazer. Acertei em uma escolha aqui, errei em outra ali. Desde que consentido pelos envolvidos, acho que, no sexo, pode tudo. Experimente fugir da cama, experimente deixar que o outro se aproxime antes de julgar se ele faz ou não o seu tipo, experimente prender o cabelo de outro jeito, experimente não beber na hora de paquerar "para se soltar", experimente mostrar quem é você, simplesmente porque você gosta de quem é.

Se você é a mulher casada do relacionamento de décadas, convide o seu companheiro para embarcar nessa história de novidade. "Cátia, mas já tentei de tudo e ele não me acompanha." Será que você está sabendo se comunicar de um jeito eficiente? Pense nas estratégias que vem usando — vamos falar de comunicação em relacionamentos mais à frente. Não adianta passar o dia inteiro em um diálogo interno e querer que o marido chegue em casa na mesma página que você no fim do dia. Agora, se você está sendo clara, está sugerindo e investindo em mudanças e, mesmo assim, não consegue do outro resposta nenhuma, pode repensar esse relacionamento na sua vida, não acha? Sempre recorro ao cenário em que uma mulher aos 40 anos, casada há vinte, acha que já não vale a pena tentar mudar. E se ela viver até os 80 anos? Vai passar mais metade da vida insatisfeita? Não me parece justo. Até para se questionar, é preciso se permitir. *É preciso ser forte para ser livre, para bancar as suas escolhas.* Parada, ninguém ganha músculo, nem mesmo a cherolaynne, como Newton já nos explicou.

### ▶ Mudar ou não mudar?

*Quero convidar você a pensar o quanto tem se permitido. Quanto sim tem dito a si mesma. Está olhando o mundo lá fora? Com olhos curiosos e animados com as mil possibilidades ou passivos, achando que "não é pro meu bico", ou, pior, nem está olhando? No capítulo anterior, falamos de pontos importantes para promover a mudança. Neste, quero provocar um incômodo: por que você não muda? Tem medo do novo? O que te impede de mudar? Liste mentalmente — ou mesmo por escrito, pois quando escrevemos temos mais clareza das coisas — possíveis ameaças que impedem a sua decisão de mudar. Então, liste possíveis ameaças caso você deixe tudo como está. Conseguiu perceber a diferença? Só você vai saber o que pode fazer para começar a mudar e até onde pode ir. Vamos falar mais sobre isso adiante.*

## AUTOCUIDADO

Nós, mulheres, temos tendência a sofrer de um problema chamado autocrítica em excesso. Esta é uma questão importante para qualquer pessoa, mas muito mais danosa para as mulheres, que muitas vezes se culpam por situações inteiras sobre as quais não têm responsabilidade alguma. Ouço uma grande quantidade de mulheres se perguntando o que fizeram de errado para serem traídas. Traição, muitas vezes, tem a ver com caráter — caráter de quem trai! —, e, caráter, cada um tem o seu.

Se essa mulher for mãe, a autocrítica é maior ainda. Costumo dizer que toda vez que nasce um filho, nasce um saco de culpa junto. A gente acha que não fez o suficiente, que errou, que é má, que é cruel, que poderia ter feito melhor, que poderia ter agido diferente, que está feia, que é muito severa, que é permissiva demais, que está cansada... Se a mulher já não se coloca em primeiro lugar na vida, isso tende a piorar depois que vira mãe. Vêm os filhos na frente, depois o marido, o trabalho, a casa e até o cachorro. Tudo antes dela. Quando não tem filhos não costuma ser diferente não, viu? Geralmente, essas mulheres acumulam uma carga de trabalho bem maior. No fim do dia, se sobrar um tempo, cuidam de si. Isso está errado. A divisão de tarefas em casa nem sempre é justa, e o mundo costuma ser muito cruel com as mulheres. Então leia bem: *você não tem que dar conta de tudo o tempo todo.* Não tem! Mas também não vamos nos esquecer do que tenho dito até aqui sobre autorresponsabilidade: se sobra tudo para você, é porque, de alguma maneira, você permitiu que isso acontecesse ao longo do tempo. Tudo bem se, agora, você não quer mais. Bora resolver esse problema, então! Como vai ser? Vamos conversar com o parceiro para dividir as tarefas? Ele não está a fim de ajudar? Então sugira contratar alguém para ajudar com os afazeres domésticos. Não tem condições financeiras e, ainda assim, ele não quer dividir as tarefas? Tudo bem, quando você for lavar e passar as roupas, lave e passe apenas as suas, deixe o outro saber e sentir que roupa não se lava sozinha, que louça não fica limpa sozinha, que comida não se prepara sozinha. É muito cômodo para o outro ter tudo de mão beijada enquanto você fica sempre cansada, fazendo tudo sozinha. Isso está errado! E tenho certeza de que vai ter muito parceiro gente boa que não vai se incomodar em nada em dividir as tarefas. Parceiro que não fez nada antes porque nunca precisou, porque nunca ninguém lhe pediu nada. Não é por maldade, é por ignorância mesmo. Não falo de ignorância no sentido de ser bruto, não. É do verbo *ignorar* mesmo. Além de negociar com o parceiro, o que mais pode ser feito para aliviar a coisa para o seu lado? Admita que precisa ser cuidada. De vez em quando, tire um tempo para você mesma, ligue para sua mãe, seu irmão, sua irmã, uma amiga ou o seu próprio cônjuge e se aninhe. Em um dia em que as coisas estiverem muito difíceis, deite-se quietinha nos braços de seus protetores. Diga a si mesma: "Amanhã me levanto e resolvo, mas hoje preciso de colo". Isso também é se permitir. E isso também tem a ver com autoestima: é demonstrar que você tem amor-próprio.

A gente tem que dar um jeito de cuidar da gente, de ter um olhar mais calmo, mais carinhoso e tranquilo para dentro de nós mesmas; ser menos exigentes e assumir a nossa fragilidade. Lembra como era poder brincar sem ter que se preocupar com a hora de acabar? Enquanto a mãe não chamasse para dentro de casa, era só brincadeira. Acredito que temos que acessar essa criança interior para levar a vida de forma mais leve, sem tanto sacrifício. Ainda mais quando a gente começa a falar de estética. O mundo grita que a gente tem que ser alta, loira, magra, sem celulite e rica. Mas a coisa mais importante é ter saúde. Pense nela primeiro. Antes de reclamar do seu corpo na frente do espelho, examine se você tem disposição pela manhã ou se acorda cansada, exaurida. Como está o seu nível de energia? Quanto falta para ser feliz no sexo? Há uma questão hormonal, de alimentação ou de atividade física que possa estar contribuindo para os resultados ruins? Você precisa estar bem, não basta pensar na aparência. Falando no assunto, se faz tempo que não faz exames, esta é a hora. Mostre ao seu corpo o quanto gosta dele, cuidando de dentro para fora.

*A imagem que o espelho reflete deve agradar você, claro, mas atenção aqui: ser feliz com a sua imagem é um direito, não uma obrigação.*

Cultive uma autoimagem positiva. Isso nos leva a uma questão importante, que é entender os próprios limites. Precisamos respeitá-los. E isso é impossível se não os conhecemos: o conhecimento pessoal traz a compreensão de até onde podemos ir e o que combina com a nossa essência. Mas esse é um assunto para as próximas páginas.

# DIGA "NÃO"

Como assim, Cátia, minha filha? Você escreve um monte de linhas dizendo para a gente dizer mais "sim", e agora manda um "diga 'não'"?

Pior que é isso mesmo. Queria mandar fazer um amuleto e distribuir para todas as mulheres que conheço. Ele viria na forma de uma medalha gravada com duas palavras preciosas: de um lado "sim" e do outro "não". Serviria como um lembrete para a gente não esquecer que, muitas vezes, quando dizemos "sim" para o outro, estamos dizendo "não" para nós mesmas. Há! Impactei, agora? Pode analisar. No trabalho, na família, no relacionamento e até mesmo na criação dos filhos, o "sim" deles é o nosso "não". Claro que é preciso se doar; servir ao próximo é um ato nobre, e, no que se refere a mães, os filhos são prioridade na maioria das vezes. Mas quem ama e serve demais ao outro, quem coloca o outro permanentemente em primeiro lugar, esquecendo de amar a si mesma, está mais exposta ao sofrimento. Tem sempre alguém que demanda mais e que fala mais alto, mais grosso. Uma hora ou outra, a nossa força se esgota. *Só consegue estabelecer limites quem tem amor-próprio.*

*Aprender a dizer "não" é o justo a se fazer, e é um sinal de que a sua autoestima está fortalecida.*

Lembra aquela cena de trabalho de que falei anteriormente? Você ficou curiosa para saber o motivo que fez as duas profissionais tão competentes não conseguirem entregar o tal do relatório para o chefe? Eu fiquei. A historinha é inventada, mas pode continuar servindo de exemplo aqui. Não é impossível que elas estivessem sobrecarregadas, ou que o prazo estipulado pela chefia fosse irreal. Se elas não tinham tempo suficiente para fazer o serviço, deveriam ter negociado o dia da entrega com o superior, pois estariam cobertas de razão. Ou poderiam pedir que o chefe reorganizasse as prioridades, assim elas entregariam o que fosse mais importante primeiro. Porém, prometer terminar tudo a tempo só porque ele pediu e estipulou assim não é justo. Negociar, nesse caso, é dizer "não". Dessa forma, tudo seria transformado: elas teriam se respeitado e poupado estresse, demonstrado profissionalismo (ao departamento inteiro!) e conquistado a admiração do superior, por provarem que têm senso de organização e de responsabilidade. Só exibe essa segurança quem gosta minimamente de si mesma e se conhece. Infelizmente, a história da vez acabou com duas mulheres pagando de incompetentes na sala do distinto.

Temos — a maioria de nós, mulheres — uma dificuldade enorme em pronunciar essas três letrinhas: "não". Não é um aprendizado qualquer e pode levar tempo, mas é absolutamente necessário. Aos poucos, é possível desenvolver ferramentas que nos levem a estar confortáveis para respeitar os nossos desejos e, mais importante, nossos "não desejos" e limites.

Tenho uma história pessoal que ilustra bem esse aprendizado. Minha mãe sempre teve uma grande dificuldade em dizer "não". A dificuldade fica ainda maior quando ela recebe ligações de telemarketing. Já comprou todo tipo de serviço pelo simples fato de não conseguir dizer "não": de assinaturas de revistas a pacotes de celular, nada do que é oferecido é negado (tem alguma coisa para vender aí? Liga para a minha mãe! É brincadeira, hein?). Assim que as ligações acabam, bate aquela sensação ruim. Ela vê que concordou com o que gostaria de ter recusado. Aí vem me pedir para cancelar os serviços contratados, porque ela mesma não consegue. Qualquer semelhança com o amuleto não é mera coincidência! Ela fica com pena dos atendentes, mas não tem pena de si mesma. Pode isso? Como dizer "não" é uma tarefa ainda muito difícil para ela, lançamos mão de um recurso para ajudar na transição entre os momentos de aprendizagem. Pedimos para ela cancelar seu cartão de crédito. Assim, quando oferecem um produto que ela não deseja comprar, ela pode responder expressamente que não o comprará porque não-possui-cartão--de-crédito. O próximo passo é conseguir apenas dizer: "Não, não quero, obrigada". Vamos, assim, construindo a sua segurança para comunicar os seus desejos e delimitar os seus espaços.

Em um relacionamento, esse aprendizado torna-se ainda mais indispensável. É fundamental entender que a tentativa de nunca desagradar o outro (ou, pior, o *medo* de desagradar o outro) acaba por ser um comportamento autodestrutivo. Preciso lembrar que não somos feitos de açúcar e que não derretemos a qualquer chuvinha? Ao ter seu desejo negado, o parceiro não vai se quebrar em quatro partes nem escorrer pelo chão da sala porque se desmancha ao ser contrariado. Nem vai deixar de gostar de você. Não é prova de amor fazer isso ou aquilo — mesmo no sexo — para atender à demanda de alguém. Isso tem nome, chama-se falta de amor-próprio. Prova de amor é ter seu limite respeitado e respeitar o do outro!

## QUAL É O SEU LIMITE?

Até este ponto, você está confusa? Está achando tudo muito difícil? O percurso do autodesenvolvimento é como um malabarismo mesmo. A gente:

1. conhece-se melhor;

2. livra-se de comportamentos que não quer mais apresentar;

3. aprende a não dar muito ouvido aos outros;

4. aprimora-se, adquirindo novas qualidades;

5. exercita o perdão;

6. cuida-se mais;

7. permite-se dizer "sim" a novas experiências e oportunidades; e

8. aprende a dizer mais "nãos". É uma chacoalhada das boas!

*Como acredito no seu potencial e na sua vontade de ser uma mulher bem resolvida, vou incluir mais um item nesta lista, que tem a ver com o não:*

9. descobre e respeita as próprias limitações.


Fulana é maravilhosa, se veste bem, sai bem maquiada e perfumada todos os dias, chiquérrima, vou ser como ela. Fulano é o melhor profissional da empresa, o mais competente, ganhou dinheiro à beça, vou me espelhar nele. Ah, vou me matar de treinar e emagrecer para atrair a atenção do meu marido. Vou sair à noite toda e dizer mais "sim" e aproveitar a vida.

Ninguém gosta de fazer conta no fim do mês, mas nem todo mundo quer ser riquíssimo. Sair fazendo sexo por aí tem mesmo a ver com você ou vai te causar dor? A atenção do seu marido virá pelo corpo? Seu dia a dia tem a ver com um visual elegante e impecável da manhã até a noite? Conhece-te a ti mesma, minha amiga. Respeite as suas limitações, a sua personalidade, os seus quereres genuínos, a sua essência e os seus princípios de vida. Não temos como dar conta de tudo. Mas temos como melhorar, sempre! Além disso, *quando respeitamos nossos próprios limites, os outros também nos respeitam.*

## ▶ Teste DISC

*O teste DISC é muito usado por* coaches *e empresas de RH para identificar a personalidade de uma pessoa, sendo considerado também um método de autoconhecimento, pois, a partir dele, é possível reconhecer em que somos mais ou menos fortes. É possível encontrá-lo de graça na internet, e seu objetivo é entender como você reage quando influenciada pelo meio. A ferramenta foi desenvolvida a partir do trabalho do escritor e psicólogo norte-americano William Moulton Marston, que publicou, em 1928, um livro em que apresenta seus estudos sobre padrões de comportamento em pessoas ativas e passivas ao reagirem em ambientes favoráveis ou antagônicos. As personalidades identificadas são de "dominância", "influência", "estabilidade" e "conformidade" — lembrando que todo perfil tem suas características positivas e negativas e que dificilmente uma pessoa tem apenas um perfil, mas sim uma mistura de dois. A teoria é que pessoas com perfil de dominância têm iniciativa e são enérgicas, mas também podem ser egocêntricas e explosivas. O perfil de influência tem a ver com entusiasmo e autoconfiança, mas também com impulsividade e desorganização. Pessoas com perfil estável, que em inglês recebe o nome de "submisso" (por isso o "S" da sigla), são pacientes e gentis, mas não gostam muito de mudança. Por fim, há o perfil de conformidade, que mostra cautela e disciplina, mas também rigor e perfeccionismo. O resultado pode dizer muito sobre você e te ajudar a se conhecer melhor. Com isso, ficará mais fácil acertar a mira dos seus objetivos. Quer um exemplo? Se você sabe que é motivada e decidida, mas não tem paciência para esperar resultados a looongo prazo, respire fundo e coloque isso em perspectiva antes de desistir dos planos.*

## POR FIM

Quando olho em retrospecto, vejo que cada etapa da nossa vida vai nos ensinando, principalmente quando erramos. É clichê, mas é verdade. Por isso, olhar e ouvir a nós mesmas, de dentro para fora, pode ser a chave para começarmos a construir essa ponte com nós mesmas. Semeie e deixe florescer a sua autoestima e responsabilize-se, definindo e cumprindo metas possíveis de mudança.

*A pessoa bem resolvida, de bem com ela mesma,*
*vai à luta, não se faz de vítima, corre atrás.*
*A verdade é que gente feliz não enche o saco.*

Essa frase me representa muito! Mesmo que as coisas não aconteçam do jeito como gostaria, uma pessoa feliz aproveita a situação e transforma o que pode. Repito: a minha vida não é apenas o que os meus pais ou o meu ex-marido fizeram dela. A parte que cabe a mim é a maior de todas, a mais difícil de conquistar, e assim é para todo mundo. Então comece de alguma forma.

# Sexualidade

# O QUE É SER BOA DE CAMA, AFINAL?

Dizer coisas picantes, gemer alto, mudar de posição dezenas de vezes, se pendurar no lustre, nunca repetir uma lingerie, fazer sexo vendada calçando salto 15, ficar minutos intermináveis na posição que o parceiro quer, estar sempre pronta para o sexo... Será que isso é ser boa de cama? Não, minha irmã, não é. Isso é, provavelmente, uma atriz em uma diária cansativa de gravação. Ser boa de cama é muito menos complexo do que diz o imaginário popular. Este capítulo foi pensado exatamente para dar dicas preciosas sobre como chegar lá.

*Sexo e pornografia são duas coisas diferentes!* É possível comparar com um penteado feito por uma cabeleireira no salão de beleza e aquele apresentado em um concurso profissional. Já viu? Os *hairstylists* montam esculturas enormes nas cabeças das modelos para apresentar aos jurados em cima do palco. É para sair daquele jeito na rua? Não, está louca?! É um show e, como qualquer espetáculo, precisa de exagero, de fantasia e de novidade. Portanto, vamos desconstruir já, neste exato momento, essa história de que a mulher boa de cama é uma máquina de fazer sexo. Ou de dar prazer.

Eu diria que a mulher boa de cama gosta de sexo, isso sim. Ela sabe como, e onde, consegue e prefere sentir prazer. Ela curte dar prazer ao parceiro. Ela definitivamente não finge nem topa tudo, mas talvez se permita mais. Ela sabe dizer "não". Ela tem autoconhecimento e autonomia! Por autoconhecimento, entenda: saber como é a própria cherolaynne (que é diferente de todas as outras), entender como deve cuidar dela no que diz respeito à higiene e à saúde e saber que tipos de estímulos e toques a levam ao orgasmo. Autonomia tem a ver com se responsabilizar pelo próprio prazer e saber comunicar ao parceiro o caminho para o clímax.

Se essa mulher for sedutora de um jeito completamente autêntico e souber aplicar algumas técnicas de pompoarismo, ganha ainda mais pontos, pois os movimentos fortalecem todo o assoalho pélvico, dando à vagina a capacidade de participar ativamente do momento da penetração. Esse tipo de controle aumenta o prazer dele e, o mais importante, potencializa o orgasmo dela. Ou seja: melhora do prazer do casal!

Se essa mulher conhecer a anatomia masculina e souber como trabalhar manualmente por ali, ganha mais estrelas. E se souber escolher um parceiro que goste de sexo, de dar prazer a ela e, ainda, que se proteja com camisinha no processo, antes de resolverem juntos tirá-la de jogo, aí gabaritou, minha gente! Essa mulher é... Olha, deu até vontade de elogiar com um daqueles palavrões que eu solto nos meus vídeos, mas aqui eu estou comportada. Vai que é uma leitora nova, né? Não posso assustar a coleguinha. Vou dizer só o seguinte: essa mulher tem toda a minha admiração.

## CONHEÇA O SEU CORPO E SE SOLTE NA CAMA!
Sexo ainda é um assunto muito nebuloso para as pessoas. Uma boa porcentagem dos homens acha, ou melhor, tem certeza, que

sabe tudo, que é só repetir o que viu nos filmes. As mulheres, que até bem pouco tempo eram tidas apenas como reprodutoras, agora se veem diante da liberdade de transar pelo objetivo do prazer, e não apenas da procriação, e estão perdidinhas também. É tanta confusão de informação! Elas não conhecem o próprio corpo nem o que lhes dá prazer. A isso somam-se ainda culpas ou crenças limitantes para atrapalhar o caminho — geradas, na maior parte das vezes, por uma criação muito rígida ou por uma religiosidade extrema. Depois, dá o azar de pegar um homem desinteressado pela satisfação da mulher, porque não aprendeu nada sobre o prazer feminino. E ainda tem uma cobrança pelo corpo perfeito e pelo título de "boa de cama", que é aquela que faz tudo e ainda engole. Assim fica difícil.

Vamos começar do começo. Se o pênis fosse fundamental para o orgasmo, a gente não conseguiria chegar lá sozinha, concorda? A masturbação é o melhor caminho para conquistar a autonomia sobre o orgasmo. Ainda teremos uma seção só sobre ele (na cama e fora dela); por enquanto, vamos só conhecer melhor a cherolaynne. Porque cuidar da saúde dela, como você cuida do resto do seu corpo, é essencial. Assim, sugiro começar pelo reconhecimento de território: acredito que, se você entende um pouco de anatomia, fica bem mais fácil brincar com o que tem em mãos.

*Quando a gente não conhece nosso corpo, ou o do parceiro, é o mesmo que comprar um celular ultratecnológico e usá-lo só para mandar mensagens e checar as redes sociais.*

Toda mulher precisa conhecer a cara da própria vulva, o que só é possível se ela tiver um espelhinho de mão, ou mesmo a câmera do celular (só não vai se atrapalhar, fazer uma *selfie* e ainda postar no perfil! Já pensou? Eu, hein?!).

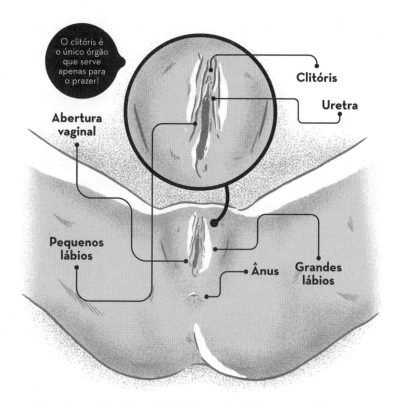

Dê olá para a sua vulva. Tudo o que está externo e que você consegue ver leva esse nome. Vulva e vagina não são sinônimos, são partes diferentes do corpo. Essa diferença fica clara quando você estuda a ilustração. Veja lá os grandes lábios, os pequenos lábios, a uretra (que é o buraquinho por onde sai o xixi) e o clitóris. A vagina é o canal da penetração, e também por onde nascem os bebês no parto normal. No fundo da vagina fica o colo do útero, uma região que a gente só vê quando vai ao ginecologista — desde que ele tenha câmera e monitor. Se for um bom momento, aproveite para pegar o espelho agora mesmo e identificar essas partes da sua vulva. Não se espante caso não esteja se reconhecendo nessa imagem, pois cada mulher tem uma anatomia distinta. O formato, os pelos, a coloração, os tamanhos: cada mulher é de um jeito! Se sua vulva não se parece em nada com a do desenho, saiba que não há um problema com você, mas sim uma limitação do nosso artista.

Falando em artista, busque na internet a obra do britânico Jamie McCartney. No início dos anos 2010, ele exibiu a *Grande muralha da vagina,* um painel com nove metros de extensão mostrando moldes feitos em gesso de quatrocentas vulvas diferentes. Participaram como modelos mulheres de 18 a 76 anos, incluindo mães e filhas, gêmeas idênticas, transgêneros e mulheres pré e pós-parto. Ver essa obra é uma aula e tanto. A conclusão de que não tem uma vulva que seja igual à outra no mundo todo dá uma noção de realidade imediata para a gente. Só acho que a obra deveria se chamar *Grande muralha da vulva.*

Já que estamos falando de anatomia, vamos continuar lá por dentro e falar do clitóris. "Ué, Cátia, mas o clitóris não é a pontinha que fica para fora?" Então, essa é só a ponta do iceberg. A estrutura do clitóris dentro do corpo é bem maior, podendo chegar a doze centímetros de comprimento e seis de extensão. Você nunca soube disso? Pois é, muita gente ainda não sabe, porque as pesquisas sobre a anatomia do clitóris são muito recentes. Mas muito mesmo: só começaram a explorar o nosso órgão encantado em 1998, acredita? Ainda há muito a ser descoberto. Esse pedacinho — nem tão "inho" assim — do corpo feminino tem a sua estrutura bem parecida com a do pênis. Como ele, tem glande, também coberta por um prepúcio, tem corpo cavernoso e bulbos esponjosos que entumecem quando estamos excitadas (ilustração na próxima página). A diferença entre os dois é que o clitóris tem o prazer como a única função, ao passo que o pênis serve para o prazer, mas também faz parte do sistema reprodutor e do sistema urinário. E, já que estamos comparando, digo logo: são 8 mil terminações nervosas para o clitóris *versus* 4 mil para o pênis. É ponto para o time das meninas!

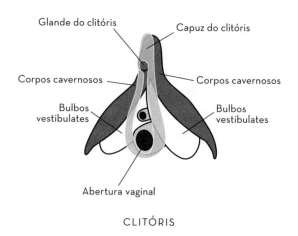

CLITÓRIS

## LIMPA E BEM CUIDADA

Para as mulheres, o tabu em relação ao sexo é tão forte que muitas delas, mesmo depois de adultas, nunca olharam as suas áreas íntimas. No entanto, é importante que a gente conheça essa parte do corpo assim como conhece as outras. A gente vai ao cardiologista, frequenta o oftalmologista, o dentista, malha e cuida do corpo. Então por que deixar para cuidar da vagina somente quando existe algum problema? Ou só prestar atenção nela na hora do sexo ou do xixi?

Em 2019, uma ida à minha ginecologista, Dra. Geovanna Mendonça, por quem sou apaixonada e que cuida de mim há mais de vinte anos, me inspirou a bater um papo com as seguidoras no Instagram, para incentivá-las a fazer os exames de rotina. Me ocorreu usar a ferramenta de enquete da rede social, perguntando quem já tinha feito o preventivo do ano. Fiquei chocada com a quantidade de mulheres que não haviam feito e, pior, com a quantidade de mensagens de mulheres relatando que não vão ao ginecologista há anos. Uma delas contou que não ia há nove anos. Só foi quando ganhou neném e nunca mais voltou. Gente, como assim? O Papanicolau é um exame para prevenção que serve para detectar os primeiros sinais de desenvolvimento de câncer do colo do útero ou doenças sexualmente transmissíveis que acometem os órgãos genitais femininos, prevenindo sua evolução ou outras complicações. Trata-se de um exame supersimples e que deve ser feito anualmente! Se você ainda não foi neste ano, trate de marcar agora a sua consulta com o ginecologista. Bora! Tô esperando, nada de virar a página sem cuidar de você, hein?!

Marcou a consulta? Então tá, podemos seguir.

Agora que a gente já conheceu a cara da nossa cherolaynne, vamos a algumas dicas de como cuidar dela, para que ela fique mais saudável e livre... Livre de maus odores, que incomodam muitas mulheres, livre de infecções de repetição. Livre, leve e solta. Aliás, solta não, é melhor que a gente trabalhe o aperta e solta para ela ficar bem firmezinha, mas isso é assunto para outro capítulo. Sobre o cheiro, vale um alerta: a vulva tem, sim, um odor característico. Os processos de renovação celular naturais resultam em secreções absolutamente normais que têm cheiro. Essas secreções não são corrimento e não têm odor forte. Corrimento e odor forte são sintomas de infecção. Portanto, não tenha vergonha do seu cheiro, mas não ignore sinais do cheiro forte.

Dúvida frequente: "Cátia, pode ou não pode depilar tudo?". Historicamente, os pelos cumpriam uma função protetora. Quando vivíamos nuas em cavernas, eram os pelos que impediam o acesso de insetos a nossa vagina, então eles eram fundamentais. Hoje temos vários recursos que cumprem essa função: é a calcinha, depois a calça, a meia-calça, o absorvente diário, ou seja, a função dos pelos é puramente estética. Então, sinta-se liberada para a depilação se, claro, você gostar da ideia. É uma escolha pessoal. Quanto às outras camadas de proteção, vale ter um cuidado extra. Somado à calcinha e à calça, o uso frequente do absorvente diário acaba por abafar a região. Até usar sempre calça apertada pode ter o mesmo efeito. A vagina é um lugar quentinho, escuro e úmido, tudo o que fungos e bactérias precisam para se proliferar. Uma dica legal é usar saias e vestidos sem calcinha quando estiver em casa — ou até mesmo na rua, por que não? (Desde que seja saia longa, viu, criatura? Ninguém quer correr o risco de passar vergonha na rua.) Isso vai ajudar a ventilar a região. Brinco que a vulva não é pulmão, mas tem que respirar! Dormir sem calcinha também é uma ótima solução, na verdade é quase uma prescrição médica. Pensa comigo: lá na época das cavernas, os pelos protegiam dos bichos, mas a mulherada não tinha infecção. Com o passar do tempo, vieram roupas e mais roupas e tecidos sintéticos, e a coitadinha da cherolaynne nunca mais viu a luz do dia. Então, deixa que ela pelo menos veja a luz da lua.

Se você torce o nariz para a ideia, porque é do tipo que tem lubrificação mais intensa, aproveite para exercitar o autoconhecimento. Fique atenta aos dias em que o aumento da lubrificação acontece. Geralmente, é no período da ovulação, bem no meio do ciclo, quando o muco vaginal fica mais espesso. Durante esse período, se quiser usar o protetor, escolha os respiráveis, que não têm plástico no fundo, e troque várias vezes durante o dia. Eu disse várias vezes, porque, se não trocar, além de deixar abafado, ainda fica úmido e quentinho — fungos e bactérias amam. O ideal é não usar o absorvente, mas sim trocar a calcinha. Quem sabe não cabe na sua rotina levar uma calcinha extra na bolsa, ou duas... Quando perceber que está muito úmida, é só trocar pela limpa e guardar a usada dentro de um saquinho como aqueles de guardar biquíni molhado. Bem fechadinha, até chegar em casa, e direto para a lavanderia. Para o dia a dia, as melhores opções são as de algodão, tecido que permite maior circulação de ar do que as fibras sintéticas.

E por falar em calcinha, vale também um adendo sobre a higienização delas. Nada de lavar calcinha no banheiro e deixar para secar lá, hein? Banheiro geralmente é um lugar — adivinha? — quentinho, escurinho e úmido. Lave a calcinha no banheiro, sem problemas, mas coloque para secar em um lugar que bata sol ou tenha pelo menos uma boa ventilação. Se no seu cantinho não bater sol, passe ferro de passar no forro de algodão do fundo da calcinha, para que o calor mate os pequenos inimigos, ok? Ah, e uma última observação: com relação à higiene das calcinhas, evite lavá-las na máquina junto com as outras roupas, pois o sabão em pó e o amaciante podem te dar alergia de contato.

Outro cuidado importantíssimo: nada de ducha vaginal. A gente lava a vulva, a parte externa, lembra? A vagina não precisa ser lavada, ela tem um sistema de proteção natural e, igual aos fornos modernos, é autolimpante. Quando você lava por dentro, altera a flora bacteriana natural, que garante sua defesa. Aí, corre o risco de qualquer outra bactéria se aproximar e fazer uma festa, ou melhor, um estrago. Quando me perguntam sobre qual sabonete usar, indico sim os ginecológicos, por uma questão fisiológica. Todo o organismo tem um sistema de pH, ou seja, de acidez e alcalinidade. Esse sistema vai de zero, o mais ácido, a catorze, o mais alcalino. O pH da vagina geralmente é ácido e fica entre 3,8 e 4,5. Acompanhe aqui comigo: o sabonete neutro geralmente tem um pH de sete, que é o pH neutro, então se você passa um sabonete neutro em uma região ácida, está alcalinizando essa região, e isso vai desequilibrando o pH genital natural. Assim, o ideal é usar os sabonetes íntimos com pH equilibrado para essa região. Sempre verifique na embalagem. Outra dica é dar preferência aos sabonetes líquidos, já que os em barra, mesmo sendo íntimos, são mais alcalinos. E não custa repetir: é para lavar a parte externa.

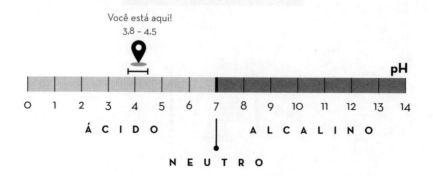

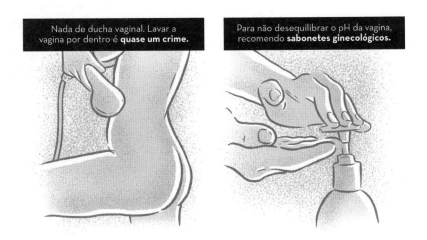

No banho, uma dica legal é lavar no sentido ascendente, passando os dedos indicador e médio entre os grandes e pequenos lábios. Aí você aproveita e, nesse mesmo movimento, já puxa o capuz do clitóris e o lava tirando o esmegma, o famoso queijinho que causa mau cheiro, mas que nada mais é do que um acúmulo de células sebáceas e suor ao redor do clitóris e dos pequenos lábios. Juro que estou falando isso na melhor das intenções. Eu achava que toda mulher sabia lavar a própria cherolaynne, até que em um comentário de vídeo uma seguidora disse que era a única mulher de cinco irmãos, e que ninguém nunca tinha ensinado isso para ela. Então, fica aqui minha pequena contribuição.

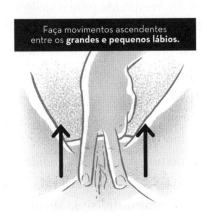

Tão importante quanto lavar é secar. Passar a toalha somente no monte púbico não é o suficiente. Tem que secar a virilha e a parte entre os grandes e pequenos lábios, já que eles ficam juntinhos-coladinhos. Precisa mesmo afastar e secar essa região, pois esse simples passo ajuda, e muito, a diminuir o mau odor e as possíveis infecções. Quem costuma usar secador depois do banho pode aproveitar para usar o vento na cherolaynne também, mas no modo frio, claro, só para dar uma "assopradinha" mesmo e ajudar a secar a região. Ok, eu sei que tenho umas dicas muito loucas, mas funciona, fazer o quê?

Outra coisa que tem tido resultados maravilhosos, e da qual virei adepta, é o uso do coletor menstrual. Pesquisas apontam uma diminuição de 60% na incidência de candidíase de recorrência em mulheres que substituem absorventes, tanto externos quanto internos, pelo coletor. No caso do absorvente externo, o contato direto com o algodão por três, quatro, cinco dias — quando não é uma mulher com ciclo longo de até dez dias —, além de causar atrito, podendo levar a alergia, mantém a região úmida e abafada por um período muito longo. Já no caso do interno, a região da vulva fica sequinha, o problema é que, além de absorver o sangue, ele faz atrito com as paredes da vagina e retira sua umidade natural, o que acaba ressecando e, algumas vezes, até machucando a região. O coletor é apenas um recipiente para o sangue. Ele preserva a lubrificação e o pH da vagina, afastando infecções, além de ser mais ecológico e, a longo prazo, infinitamente mais econômico, já que você só vai precisar de um em até dez anos.

Por falar em infecções, bora falar da tal da candidíase. Ô, coisa chata! Ela coça e irrita até a alma. Mas é bom saber que não é necessariamente uma doença sexualmente transmissível; é um fungo que já existe no nosso corpo, a *Candida albicans*, que fica ali, livre, feliz e tranquila. Com a alteração da imunidade, altos níveis de estresse ou alguma outra situação de desequilíbrio, ela se manifesta. Se a gente se previne com os cuidados todos que acabei de listar, o próprio organismo regula o risco de desequilíbrio. A prática de exercícios de pompoarismo também ajuda muito na diminuição da incidência da candidíase, você vai ver ainda neste capítulo. Agora, se a dita-cuja decidir aparecer, tem que tratar com pomada e, se preciso, tomar medicamento, sempre de acordo com a indicação de um médico. Apareceu, corra para tratar, nada de recorrer a tratamentos caseiros, como introduzir dente de alho na cherolaynne, hein?! Não vai fazer a louca!

## MASTURBAÇÃO TAMBÉM É AUTOCONHECIMENTO

Bem, feito o reconhecimento de território, cuidados todos tomados, vamos à masturbação. Ei, ei! Não vale pular a página, não, volta aqui. Hum! Começo dizendo que não tem nada de errado com a masturbação. Não há nada de errado em se tocar, se conhecer. A região íntima é apenas uma parte do nosso corpo. A gente pega no rosto, cabelo, braço, perna, pé... Por que não vai pegar na cherolaynne? Qual é o problema? Nenhum. Essa é a primeira desconstrução que precisamos fazer. Há mulheres que ainda enxergam a masturbação como tabu, como algo errado e pecaminoso, mas não precisa. Repetindo: o clitóris serve única e exclusivamente para o prazer sexual. E quem o colocou no nosso corpo? Na minha concepção, foi o Criador. E se Ele colocou lá uma coisa feita só para a gente se divertir... vamos usar. Ou vocês acham que Ele errou no mapa? Nosso corpo é perfeito, tudo funciona certinho, todos os órgãos têm sua função, o cérebro, o coração, os pulmões, tudo perfeito. Aí você acha que bem na hora do clítoris ele errou, que foi sem querer? "Opa, escapou"? Óbvio que não.

Se você não se sente à vontade para explorar a área direto, comece usando a técnica do banho. Enquanto faz a sua higiene, não se toque com esse único intuito, mas com fins de exploração.

Opa, será que se eu tocar aqui pode ser bom? E se eu fizer um pouco mais forte? Que tal nessa parte mais fininha (os pequenos lábios)? Ou nessa mais fofinha (os grandes lábios)? E nesse carocinho de feijão aqui em cima, na união de tudo (o clitóris)? Em vez fazer tudo de modo automático, toque-se com presença, conectada com o momento, prestando atenção a cada reação e a cada toque. Gaste pelo menos dois minutos ali. Sinta as texturas e os tamanhos, abra o prepúcio do clitóris, perceba que tem um carocinho ali dentro. Você vai sair do banho pronta para partir para a masturbação. Se ainda assim não se sentir à vontade em se tocar com os próprios dedos, pode lançar mão do chuveirinho do banheiro e perceber os estímulos diferentes.

Para se masturbar, garanta uma ocasião e um ambiente seguro e confortável. Portas trancadas, caso tenha gente em casa, só para ter certeza de que esse será um momento só seu. Se quiser, coloque uma música para entrar no clima — se a gente precisa de clima para fazer amor com o outro, por que não para fazer com a gente? Se gostar de velas, vai fundo. Prepare o momento da sua intimidade e se entregue.

É importante estar com as mãos limpas, para não levar sujeira para a sua cherolaynne. Tenha um gel lubrificante ao seu lado. Pode ser tanto um à base de água quanto um à base de silicone. "Mas, Cátia, como eu compro isso?" Para um bom punhado de mulheres, só o fato de comprar um gel pode ser encarado como uma etapa a ser vencida. Olha, minha amiga, tem gel até no supermercado, lá na parte de cosméticos, xampus e sabonetes, vai procurando que você acha. Coloque dentro do carrinho, junto com o arroz e o feijão, e passe no caixa como se nem tivesse visto. Ou ponha os óculos escuros, mexa no celular, e quando você reparar, já passou. Na farmácia, o truque é o mesmo: jogue na cestinha de remédios junto com uma pasta de dente e foi. A atendente não está nem aí, prometo, ela faz isso todo dia. Se estiver muito difícil para você, peça pela internet; o que não falta hoje em dia é *sex shop* on-line, vai chegar aí na porta da sua casa em uma caixa do correio fechadinha e discreta. Outra opção é o óleo de coco, que é natural; compre um de boa procedência. Manteiga não, hein?! Óleo de cozinha, xampu, essas coisas, de jeito nenhum! Opções não faltam, o importante é que a região esteja lubrificada, ainda mais nas primeiras vezes, em que você pode ficar tensa. Não precisa começar pela vulva. Pode tocar primeiro o pescoço, a barriga. Tem vergonha da barriga? Toca na região das costelas, desce pela lateral, vai para a virilha, passa a mão na parte interna das coxas, no bumbum. Tente pressões diferentes: mais intenso e depois leve, lento e rápido. Veja como se sente e vá seguindo até chegar aos grandes lábios, pequenos lábios, clitóris. Abra o capuz do clitóris e comece os movimentos de sobe e desce e em oito.

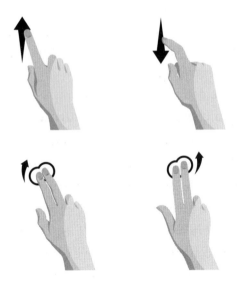

Para algumas leitoras, cada passo será uma grande conquista. É o seu caso? Saiba que, só de topar ir em frente, já vejo potencial aí. Vamos revisar:

1. Você se olhou no espelho e conheceu sua vulva.

2. Tocou-se no banho.

3. Fez a masturbação com os próprios dedos.

O quarto passo é partir para um acessório. Pode ser um minivibrador, um *bullet* (também conhecido como "cápsula vibratória"), uma prótese um pouco maior, que não necessariamente precisa ter o formato de um pênis (existem todos os tipos e tamanhos hoje em dia, tanto é que nem se chama mais prótese, e sim *toy*, que em inglês significa brinquedo). Eles vibram em intensidades diferentes e por isso proporcionam sensações também diferentes. O ideal é começar por fora — passando pelos grandes lábios e pelo clitóris — antes de tentar a penetração. (Sim, você também consegue comprar tudo isso pela internet, não precisa nem entrar em *sex shop* — se bem que, particularmente, eu acho um passo maravilhoso para a libertação da vergonha sexual. Se você tiver um parceiro e quiser ir a dois, aí lacrou! E existe ainda a opção de perguntar nas lojas especializadas em lingerie se eles não têm "brinquedinhos"; até as lojas mais elegantes de shopping têm sua "gaveta" ou "cortina da felicidade".) Aí chegamos à quinta fase, que é contar para o parceiro o que você descobriu usando esses acessórios e testar com ele as descobertas.

Algumas mulheres entregam o orgasmo na mão do homem. É sério: eu não estou inventando, já ouvi isso mais de uma vez. "Ah, o cara é mais experiente do que eu." "Ele já sabe o que fazer." "Vai descobrir como, com que intensidade e em que direção." Não, minha gente! Orgasmo não é coisa que se terceirize nem se delegue. Claro que o outro deve participar, mas contar com a sorte é a receita mais fácil de frustração. Ao se conhecer e se tocar, você vai descobrir o caminho das pedras, vai saber exatamente do que gosta e como gosta. Faço analogia com uma viagem. Antes de conhecer um lugar novo, você começa procurando os pontos turísticos no mapa — o equivalente a se olhar no espelho. Locais identificados, é hora de explorar a cidade — o banho, a masturbação. Imagina viajar sem nem saber para onde ir, entregar o mapa na mão do outro e esperar para ver o que acontece? O risco é grande. Vai que ele não sabe se localizar. Vai que ele visitou uma cidade anterior e acha que esta funciona do mesmo jeito. Vai que ele quer visitar lugares pelos quais você não se interessa. Com o orgasmo é a mesma coisa. Às vezes, o cara teve outra parceira, que tinha sensibilidade em determinadas regiões e gostava de fazer sexo de um jeito específico. Se ele resolve repetir todos os truques com você, pode dar tudo errado. Seu corpo é outro, funciona de outra forma. Agora, se você for uma boa guia turística...

## FALAR SOBRE SEXO

Ok, ok, agora que tratamos um pouco da parte física (pouco porque, no que diz respeito à sexualidade, nosso corpo é um universo imenso a ser explorado), vamos falar do que eu acredito ser tão importante como o sexo em si: os aspectos da comunicação que também têm a ver com ser boa de cama.

Quem se responsabiliza pelo próprio prazer tem duas características marcantes. Uma delas é saber que sexo ruim existe — acontece —, e que persistir no sexo ruim é que é o problema. A outra é saber dizer o que quer, o que gosta, para fazer valer suas preferências e, assim, garantir o ganha-ganha na cama. Não é que seja fácil falar sobre sexo, mas é preciso falar. Costumo dizer em todas as minhas palestras que fazer sexo é fácil, falar sobre ele é que é difícil.

Vamos falar de comunicação entre o casal no capítulo "Relacionamento", mas vou adiantar uma boa dica aqui: a técnica sanduíche. Quem tem filhos na escola conhece essa. A mãe recebe um bilhetinho na agenda da criança chamando para uma reunião com a coordenação. Chegando lá, ouve algo mais ou menos assim: "Seu filho é uma criança tão carinhosa, participativo em sala de aula. Mas não está fazendo a tarefa de casa, não está estudando o quanto deveria. Olha, mas tirando isso, todos gostam dele, se entrosa superbem com os colegas". Percebeu o sanduíche? Elogio-bronca--elogio. No sexo, funciona do mesmo jeito. "Sabe, adoro quando você beija minha boca dessa forma e me pega pela cintura... Mas, na hora do sexo oral, se você fizesse assim com a língua, seria maravilhoso, porque sou mais sensível nessa região. Ai, quando você termina e me faz aquele carinho nas costas... Não tem nada melhor, morro de tesão." Meu amor! Funciona, viu? Se a relação vai bem, o outro estará receptivo a esse tipo de informação. E, porque ele está interessado em dar prazer, tem tudo para ouvir e aplicar a dica. Mesmo que seja alguém um pouquinho mais difícil, vale ir introduzindo essa conversa pouco a pouco. Agora, se você já tentou a técnica sanduíche uma, cinco ou dez vezes, e o parceiro segue fazendo tudo exatamente igual, não vejo outra saída senão falar claramente. "Querido, já te dei essa dica algumas vezes, mas você ainda não percebeu o que me incomoda, então quero explicar com toda a clareza possível. Quando você enfia sua língua dura dentro de mim no sexo oral, eu realmente não gosto." Pronto. E se você ouvir como réplica algo como: "Mas todo mundo sempre gostou, nunca ouvi reclamação", lembre-se daquela frase famosa, boa para encerrar discussões: "Eu não sou todo mundo".

Amiga, agora sou eu quem te chama a atenção aqui no cantinho, com toda clareza possível. Se você perceber que ele não demonstra sinais de que vai mudar, se já explicou, falou, mostrou, conversou e nada de a criatura se preocupar em mudar, a pergunta que te faço é: você está preparada para ter um parceiro que pode ser legal em muitas coisas, mas não faz sexo oral — ou seja lá o que for — do jeito que você gosta? Só você poderá responder, só você sabe o peso que o sexo tem no seu relacionamento.

## ANAL. "AH, NÃO" OU "AH, SIM"?

Só você saberá quais são os seus limites no sexo. Saber dizer "não" é muito importante. Quando a gente sabe do que gosta, sabe também do que não gosta. São fronteiras que precisam ser respeitadas. O sexo anal é um exemplo clássico. Tem técnica? Tem. Mas a primeira pergunta que faço para as alunas que pedem para eu ensinar é: você quer experimentar? Tem alguma leve, mínima, pequena que seja, curiosidade sobre o assunto? Se a resposta for "sim", "talvez" ou até "pode ser, tenho uma leve curiosidade", pronto, pode passar pela catraca, porque o resto é técnica, e técnica eu ensino — lá no final do livro, no capítulo "#catiaresponde", vou dar algumas dicas. Porém, se a pessoa fala "acho que não", "nunca!", enfaticamente, ou "vou para o inferno", está resolvido: temos um "não" e não passaremos daí. Esse é o limite dela, *e limites precisam ser respeitados. Tanto por você quanto pelo parceiro. Digo e repito: sexo não é moeda de troca de amor. Não cometa esse erro!* Não existe sexo sem respeito. Quer ir a uma casa de suingue, fazer sexo a três, se embolar na cortina? Se o outro também quer experimentar, vão em frente. Vale tudo, desde que esse *tudo* caiba nos limites e seja combinado entre os dois. Se ouvir dele que "ultrapassar essa linha será uma grande prova de amor", responda com todas as letras que prova de amor mesmo é aceitar o seu "não". Não é não, e pronto.

## MAS O QUE SERÁ QUE ELE VAI PENSAR?

Já falamos que dizer "sim" também é importante, lá no capítulo "Autoestima". Esta é para a turma das solteiras. Existe um dilema muito comum: a mulher não sabe se vai para a cama com o cara já na primeira vez, se faz isso ou aquilo na cama, para que ele não pense isso ou aquilo dela. Meu conselho? Pare com essa mania de ficar se perguntando: "Mas o que ele vai pensar de mim se eu transar no primeiro encontro?". Ô, minha filha, até uma hora atrás o cara nem te conhecia, que diferença faz o que ele vai pensar de você? O que importa de verdade é o que você vai pensar de você. E digo mais: vai lá e divirta-se. Se joga mesmo! Duas coisas podem acontecer: 1) o sexo ser maravilhoso, vocês gostarem muito e, quem sabe, marcarem um segundo ou terceiro encontro (conheço várias histórias de casamentos bem-sucedidos que começaram exatamente assim); ou 2) ser ruim, e isso faz parte do jogo. Nem sempre a gente acerta. Quando você ficar com alguém pela primeira vez e tiver vontade de dar... Dá, tanto quanto você quiser. Divirta-se, volte para casa feliz. Trabalho com relacionamento há quinze anos, e quantas histórias dessas já acompanhei, tantas bem-sucedidas! "Oi, foi tão bacana aquele dia, vamos repetir a dose?" Um encontro depois do outro, quando menos se esperava: estavam casados. Para que ficar com essa frescurinha de "o que o outro vai pensar?". Problema dele o que ele vai pensar! Mesma coisa se for uma conquista, alguém com quem você está flertando, conversando, investindo. Faça o que quiser, vá tranquila, vá na paz! E se esse cara for te julgar pela sua liberdade, segurança e autoconfiança — porque sim, são esses os quesitos necessários para encarar sexo no primeiro encontro —, se ele for pensar isso ou aquilo de errado, lá vem eu com as minhas perguntas: é com esse tipo de cara mesmo que você quer se relacionar?

Agora, sério, quando as mulheres passarem a se preocupar menos com o que os outros estão pensando, ou com a sua performance, e se permitirem prestar atenção no que é gostoso, elas vão curtir muito mais. E, isso é óbvio, assim o outro curte muito mais também. Porque, se não for para ser bom para todo mundo, melhor ficar em casa com seu vibrador, que só falta mesmo beijar na boca: liga e desliga na hora em que a gente bem entende, funciona quantas vezes você quiser e ainda tem o bônus de não transmitir nenhuma doença e não te engravidar no final.

# PRAZER, ORGASMO

Se você leu este livro até aqui sozinha, sugiro que compartilhe este capítulo com o *boy*. Costumo brincar dizendo que orgasmo e sexualidade no geral deveriam ser lições tão elementares na nossa educação como aprender tabuada na aula de matemática. Matéria obrigatória, por que não? É parte do funcionamento do nosso corpo, parte importante da vida afetiva e dos vínculos que criamos quando adultos. Só tem um segredinho que diferencia essa lição das ciências exatas: quando se trata de sexo, nem sempre o um mais um é igual a dois. Cada corpo funciona e reage de uma maneira muito particular aos estímulos do outro e, até mesmo, aos próprios estímulos. Aí você me pergunta: "Mas e agora, Cátia, como vou saber o que fazer se cada um é um?". Há coisas que são fisiológicas, comuns a todos nós.

As etapas do sexo são um bom exemplo. São quatro as fases que dividem o ciclo da resposta sexual: desejo, excitação, orgasmo e resolução. Já posso ouvir: "Como saber se tive um orgasmo?". A gente já chega lá! Tudo começa com o desejo, a vontade, o tesão, a libido. O desejo surge de algum tipo de estímulo, que pode ser físico, como um estímulo visual, olfativo, auditivo ou tátil, ou psicológico, como quando você pensa no cara lembrando ou imaginando alguma situação interessante. Para que o desejo se manifeste, é bem importante que os hormônios estejam em dia, porque sem isso, minha amiga, fica bem difícil ter tesão. Se a sua testosterona está lá embaixo, se a progesterona e o estrogênio viraram inimigos do seu ser, só ouvir a voz do *boy*, às vezes, não é o suficiente. Portanto, quando for fazer seu preventivo (já falamos disso!), peça a seu médico para checar seus hormônios sexuais, para ver se é necessário dar uma forcinha a eles.

De acordo com uma pesquisa de 2016 da Universidade de São Paulo (USP) coordenada pela psiquiatra Carmita Abdo, 34,6% das brasileiras sofrem de desejo sexual hipoativo (DSH), isto é, a falta de desejo sexual, um transtorno que deve ser tratado. O primeiro procedimento médico a ser procurado deve ser hormonal; depois, a gente precisa se colocar em situações nas quais o nosso desejo seja despertado — por isso acredito que preparar surpresinhas seja interessante, não apenas para o outro, mas para nós também, porque durante a preparação já há envolvimento emocional com a situação. É cientificamente comprovado: quanto mais você pensa em sexo (e quanto mais gostoso ele é), mais vontade tem. Tem muita mulher que fala: "Eu perdi a libido". E eu respondo: "Perdeu onde? Bora lá caçar essa danada". Crie situações para que o desejo se manifeste. Leia contos eróticos, assista a filmes mais *calientes*, troque umas mensagens excitantes com o gato, mas faça isso de forma ativa. Ficar sentada pensando na morte da bezerra não dá tesão em ninguém, não, tá? Nem que os hormônios estejam em dia.

Depois do desejo, passamos para a fase da excitação, que é quando percebemos as mudanças no corpo. Para nós, mulheres, a mais marcante delas é a lubrificação vaginal; já para os rapazes, é a ereção. A fase da excitação é condição para que o ato sexual tenha continuidade. Do ato sexual, vamos ao orgasmo e, então, à resolução, que é o pós-orgasmo, ou período refratário.

Imagine um jogo de futebol. É preciso marcar a partida, convocar os jogadores, pensar no uniforme, certo? Tudo isso é tarefa do desejo. Partida marcada, a gente visita o campo, faz um reconhecimento do gramado e começa o aquecimento — a excitação. Cada gol desse joguinho é um orgasmo. A mulher é capaz de cada goleada! Sabe o sete a um da Alemanha? Pois bem, o homem é o Brasil. Brincadeira! Quer dizer, mais ou menos brincadeira, porque nós mulheres temos a capacidade de nos tornarmos multiorgásticas, ou seja, ter vários orgasmos em uma mesma relação — ou, segundo nossa analogia, fazer vários gols durante uma partida —, já os homens... Não é que eles não consigam, mas precisam de um intervalo bem maior entre um orgasmo e outro para se recuperar. Esse intervalo entre o primeiro e o segundo tempo é o período refratário, o período que precisamos para nos recuperar. Para as mulheres, ele dura o tempo de respirar fundo e jogar o cabelo para trás. Para os homens, a necessidade de repouso é maior e aumenta com o passar dos anos, mas, com a prática do pompoarismo, esse intervalo diminui bastante (fica a dica para os homens).

Quando a gente entende essas quatro fases e a velocidade de cada uma nos nossos organismos, fica muito mais fácil chegar lá juntos, ou pelo menos pertinho um do outro. Precisamos entender o seguinte: no homem, as fases do desejo, da excitação e do orgasmo acontecem de uma forma rápida, enquanto o período refratário demora. Na mulher, é o contrário: as três primeiras etapas podem demorar a aparecer, mas nosso período refratário é bem rapidinho. Daí a importância das preliminares, minha gente. Durante esse período, o homem vai estimulando a parceira sem penetração, ou seja, o pênis dele não está recebendo estímulos. Depois que essa mulher já estiver beeeem excitada, aí sim partimos juntos para a penetração.

Uma dica maravilhosa para as mulheres, para acelerar esse processo, é praticar os exercícios de pompoarismo, pois eles ajudam a aumentar a excitação e a lubrificação. E nada impede esse homem de fazer um sexo oral bem gostoso e levar essa mulher ao primeiro orgasmo, para só depois partir para a penetração. Ah, e mais um recadinho para os cuecas de plantão: você chegou lá antes da gata? Ajude a sua parceira a chegar lá também, pois sexo deve ser bom para os dois, nada de egoísmo! Use os dedos, a língua, peça ajuda aos brinquedinhos...

Vamos responder agora à dúvida que atormenta grande parte da população feminina. Sim, quase 50% das mulheres brasileiras relatam ter dificuldade para atingir o orgasmo, e, entre as que conseguem, muitas ficam na dúvida se chegaram ou não lá. Então, preste atenção aos sinais do seu corpo. O orgasmo nada mais é do que uma resposta sensorial a um estímulo que pode ser físico ou não — ou vai me dizer que você nunca acordou no meio da noite ofegante e molhada depois de ter tido aquele sonho erótico? Quase tudo o que acontece no nosso organismo é assim: vai um estímulo via aferente para o cérebro e volta via eferente para o corpo. Fisicamente, enquanto o orgasmo acontece, há uma aceleração, tanto da frequência cardíaca como da frequência respiratória; as pupilas se dilatam; e pode acontecer também de as extremidades ficarem um pouquinho mais frias, pois há um aumento da irrigação sanguínea na região central do corpo. Não é à toa que a gente diz que a "coisa esquentou" quando se refere à relação sexual. Como reações do nosso sistema adrenérgico, que tem a ver com a liberação da adrenalina, enquanto você está tendo um orgasmo, é possível que ocorram também algumas contrações involuntárias na musculatura vaginal — sim, a cherolaynne pode dar apertadinhas que não têm a ver com a prática do pompoarismo. Em seguida, vem o relaxamento: estão sendo liberadas endorfina e serotonina no seu organismo. É uma mudança muito abrupta! O corpo vai de um estado de extrema tensão sexual para um estado de total relaxamento. As frequências cardíaca e respiratória retomam o ritmo original e, geralmente, dá uma preguicinha. É que, além desses dois hormônios já citados, há também a liberação de prolactina, que nos homens dá um soninho. Mas, rapazes, dá tempo de fazer um carinho na gata antes de adormecer profundamente, tá bem? Se a gente pensar na tradução do orgasmo para o francês, fica fácil de entender: *la petite mort*, a pequena morte. É exatamente isso, no começo é uma sensação de "vou morrer, vou morrer, vou morrer", seguida de um "não morri, não morri, não morri". Alguns homens parecem ter morrido de verdade, a gente até dá uma checada para ver se o cara está respirando. Mas, falando sério, entende por que não dá para ficar na dúvida se o que você teve foi ou não um orgasmo? Embora existam orgasminhos e orgasmões, ou seja, intensidades diferentes de orgasmo, a experiência é marcante o suficiente para que a própria dúvida indique o "não" como resposta. Quem teve costuma saber que teve.

A grande questão é que muita gente fantasia com um orgasmo de "ver estrelas", "de tremer as pernas", "de quase desmaiar", "de perder os sentidos". Essas coisas que a sua amiga vive falando que tem, mas que você nunca nem chegou perto de ter... O que você precisa entender é que cada mulher tem sensações diferentes e em intensidades diferentes. Além disso, uma mesma mulher pode experimentar tipos diferentes de orgasmo ao longo da vida ou, até mesmo, durante uma mesma relação, o que não tem a ver necessariamente com a habilidade do parceiro. Estão em jogo a fase do ciclo menstrual, o nível de cansaço ou relaxamento e, o mais importante, a via do orgasmo. Atenha-se a esse resumo: uma leve (ou grande) euforia, seguida de um relaxamento, é um orgasmo fisiológico.

Vale lembrar que estudos que tratam da anatomia do clitóris são relativamente recentes, que sabemos há muito pouco tempo que o clitóris não é só aquela pontinha externa que está visível, que ele se estende em dois bulbos que vão para dentro da vagina. Por isso, hoje se questiona se o orgasmo vaginal não é também um orgasmo clitoriano. Como eu já disse, o clitóris é o único órgão do corpo humano que tem somente o prazer como função. São 8 mil terminações nervosas totalmente dedicadas ao orgasmo! Essa é a razão que faz com que o orgasmo mais comum seja o que acontece a partir da estimulação clitoriana.

*O fato de uma mulher não conseguir ter um orgasmo vaginal não indica um problema.* Deixei essa frase em destaque porque o desconhecimento desse fato gera muita cobrança, até mesmo por parte dos homens. Orgasmo é orgasmo, o que muda é a zona de estímulo. Pode ser um estímulo clitoriano, vaginal, anal, no ponto G, na mama ou, se o nível de excitação estiver bem grande, até um beijinho no pescoço ou uma fala mais quente do parceiro é capaz de desencadeá-lo.

Justamente porque as mulheres têm um número maior de vias de orgasmo e a necessidade de um tempo menor de período refratário, algumas experimentam o tal do orgasmo múltiplo. Depois do primeiro orgasmo, e por a mulher estar em um platô de excitação muito alto, é possível que outro estímulo seja o suficiente para desencadear um novo orgasmo. Essa é a mulher multiorgástica.

Uma observação importante: esse outro estímulo deve ser *outro* mesmo, ou seja, em outro lugar. Depois de chegar lá via orgasmo clitoriano, por exemplo, a região fica extremamente sensível. Insistir na estimulação do clitóris vai levar a mulher do amor ao ódio em um segundo.

## ANORGASMIA

Tente falar esta palavra em voz alta: anorgasmia. Estranha, né? Trata-se de uma condição que afeta 29,3%, ou seja, quase 30% das brasileiras com vida sexual ativa, segundo a mesma pesquisa da Dra. Carmita Abdo. A dificuldade de atingir um único orgasmo não é nada incomum.

A anorgasmia pode ser primária, secundária ou situacional. O quadro primário refere-se às mulheres que nunca tiveram um orgasmo, por mais que tenham buscado diferentes formas de estimulação. Se o caso é de alguém que experimentou o orgasmo em alguma fase da vida e agora não consegue mais, a anorgasmia é considerada secundária. Já a situacional é aquela em que a mulher goza em algumas circunstâncias, mas não consegue obter o mesmo resultado em outras. São aquelas mulheres que relatam só atingir o orgasmo em uma determinada posição sexual, por exemplo.

Por muito tempo, acreditou-se que, se a mulher não tem orgasmo vaginal no sexo, mas tem o clitoriano, ela tem anorgasmia. Não, minha gente! Isso é um mito, e quero que você o derrube desde já. Se essa crença for a do seu parceiro, aproveite para entregar este capítulo para ele ler. Orgasmo é um só; as vias para alcançá-lo é que são diferentes.

E lembrando que não é somente essa etapa do sexo (gozar) que representa uma dificuldade para um número considerável de mulheres: muitas ainda podem sofrer da falta de desejo sexual. Como cada etapa cria condição para a próxima, a falta de interesse sexual compromete a excitação e, naturalmente, a possibilidade de se chegar a um orgasmo. Obstáculos físicos, fisiológicos ou até psicológicos podem atrapalhar. Quando uma mulher relata uma diminuição na lubrificação, por exemplo, além de investigar com o ginecologista se há alguma alteração hormonal, ou mesmo uma questão mais importante, como a bartolinite — inflamação das glândulas de Bartholin, uma das responsáveis pela nossa lubrificação —, vale observar os aspectos comportamentais. Será que ela está, de fato, presente durante a relação, vivendo esse momento de forma focada?

Agora que já falei de dados estatísticos, expliquei a fisiologia do orgasmo, o que você pode ou não sentir, vou dizer o que acredito ser a maior causa da falta de orgasmo: os aspectos comportamentais. Não adianta iniciar o sexo pensando na gripe do filho. "Está na hora do remédio, será que ele tomou direitinho?" Se não for um remédio, pode ser a lista do mercado, a reunião de amanhã ou o último capítulo da série que não deixam espaço para dar atenção ao que está acontecendo aqui e agora. Só digo uma coisa: está errado um negócio desses! O momento sexual precisa ser vivido por completo. É preciso estar atenta ao cheiro do seu companheiro, ao que está sendo dito, à voz, à mudança da frequência respiratória. Essa estimulação sensorial é muito rica para passar batida. Gosto muito de um conceito da psicologia positiva, o *savoring*, que nos convida a saborear, experimentar, estar presente. Mesmo porque uma relação sexual não dura a noite inteira, como sugerem alguns *hits* sertanejos; na vida real, que tem correria, trabalho, filhos, *pets*, relatórios e boletos — coisas de quem já está em uma relação há um tempinho, — uma relação sexual dura, em geral, de dez a quinze minutos (e isso numa perspectiva otimista). Segundo a mesma pesquisa da USP, a frequência sexual média do brasileiro é de 2,5 vezes por semana. Então, mulherada, vamos estar conscientemente presentes nesses momentos? Isso é algo que eu verdadeiramente admiro nos homens quando eles vão fazer sexo. O objetivo da vida ali é só um: sexo!

O que muitas mulheres também esquecem é que o orgasmo não precisa ser a única função do sexo. Algumas acham que, se não chegarem lá, não vai ter valido a pena. Não é verdade. A gente pode muito bem se divertir pelo caminho e aproveitar cada minuto da transa. Uma dica que já ajudou muitas das minhas seguidoras a chegar ao orgasmo foi se esquecer dele. Obviamente, quero dizer que é para esquecer a sua cobrança ou a cobrança do parceiro por ter um orgasmo vaginal. Aí, quando você menos esperar, ele aparece! É o famoso "relaxa e goza".

# "AI, CÁTIA, ME AJUDA!"

A gente está aqui para isso, não é mesmo? Leia as dicas a seguir e aplique-as da próxima vez que for para o bem-bom. Tenho certeza de que você vai observar novas reações no seu corpo. A partir daí, ficará mais fácil descobrir os caminhos pelos quais você sente prazer e atinge o orgasmo.

### • Provoque o desejo

Se está difícil se entregar durante o sexo, imagine antes dele. Às vezes, é preciso buscar a libido racionalmente mesmo. Se o desejo estiver dormindo seu sono profundo, um conto erótico, por exemplo, pode ser capaz de despertá-lo.

### • Relaxe

Focar e estar presente não significa entrar para o jogo obcecada pelo orgasmo. Algumas partidas são divertidíssimas e emocionantes ainda que acabem em zero a zero. Em matéria de sexo, orgasmo é como catar bolinha dentro de uma piscina. É possível alcançá-la, mas sem afobação. Se começar a bater muito na água, a bolinha vai indo para longe. Se chegar com jeitinho, de mansinho... é gol! (Uso essa analogia em diversas situações!)

### • Mude de posição

Tentar outras posições é outra dica importante. Se estou desconfortável neste movimento, meu foco vai acabar se voltando para o desconforto. E nem precisa ser só uma questão de desconforto. Se o papai e mamãe já enjoou, experimente de quatro, de ladinho, deitada, agachada, de ponta-cabeça, em posição de 69, pendurada na cortina, no teto, no lustre. Busque o prazer. Aventure-se!

## • Dê uma chance à masturbação

Já que o assunto são estímulos diferentes, deixe eu te contar outro dado impressionante daquela pesquisa. Você acredita que 40% das mulheres não têm o hábito de se masturbar? Já falamos sobre isso neste capítulo, mas vou bater novamente nesta tecla: a masturbação tem uma importância fundamental no sexo. Outro dia li um comentário maravilhoso de um inscrito do meu canal no YouTube: "O homem tem duas bolas, mas nenhuma delas é de cristal". Não dá para esperar que o outro adivinhe o que você quer ou como gosta que ele faça para atingir o orgasmo.

## • Use um vibrador, mas com moderação

Um psicólogo que entrevistei para o meu canal fez um comentário interessante sobre os vibradores. É claro que eles são altamente recomendados, mas é possível que o uso de um equipamento com esse nível de estímulo por uma mulher que já tenha dificuldade de atingir o orgasmo crie nela um parâmetro difícil de ser reproduzido. Entende? Vamos usar o *rabbit* como exemplo. Esse tipo de vibrador ficou famoso por, além de girar e vibrar em intensidades, direções e velocidades diferentes, possuir duas orelhinhas que estimulam o clitóris. Esse nível de estímulo jamais será alcançado por uma pessoa. E a mulher pode deixar de ser suscetível a um orgasmo que esteja em outro patamar de estimulação. Portanto, a máxima "use com moderação" se aplica perfeitamente aos vibradores. E dá para desviciar? Claro. Comece aos poucos, diminuindo a velocidade, depois o uso, volte quatro casinhas e... provoque o desejo, relaxe, mude de estímulo, aposte na masturbação sem grandes tecnologias.

## • Pratique o pompoarismo

Outra dica que ajuda muito é o pompoarismo, sobre o qual vamos falar a seguir. Com mais irrigação sanguínea local, a lubrificação aumenta, e, por si só, essa alteração física já é um facilitador para a questão do orgasmo. Os exercícios também dão à mulher a capacidade de estreitar e relaxar o canal vaginal. Assim, o estímulo se torna mais intenso e ativa as terminações nervosas, deixando o corpo mais alerta, o que aumenta não só a probabilidade de se chegar a um orgasmo como a sua intensidade.

Se você sofre com algum tipo de dificuldade para atingir o orgasmo, tem aqui um bom material para começar a entender como pode agir e melhorar o sexo, seja procurando um especialista, seja se conhecendo melhor. Se você já sabe muito bem o que é um orgasmo... Vamos bater essa meta semanal de sexo aí, minha gente!

# POMPOARISMO (OU: OI, PODEROSA, BEM-VINDA AO CLUBE!)

Agora você já está mais íntima do seu corpo. Quase uma expert em cada uma das partes que compõem a sexualidade feminina! Vamos tirar esse "quase" da equação? Sim, é hora de falar de — pausa para o rufar de tambores — *pompoarismo*, ginástica íntima, fortalecimento do assoalho pélvico, malhação da ppk, musculação da cherolaynne: é tudo a mesma coisa. A mulher que exercita a sua musculatura íntima costuma se transformar na cama. Ela se sente mais apta ao sexo, mais lubrificada, com mais desejo e tem um melhor desempenho, sentindo e proporcionando muito mais prazer. Os homens sentem a diferença e passam a elogiar o desempenho dela. O "poderosa" ali do título não é à toa: é assim que as alunas contam que se sentem depois de pompoar!

> *"Comecei a treinar o pompoarismo e senti muita mudança. Estava com uma pessoa, e ele falou que eu fazia diferente*

> *das outras que ele já tinha conhecido, comentou das sensações que eu provocava e perguntou como eu fazia isso e por que as outras não. O homem fica louco!"*

Antes de listar os benefícios físicos que a técnica pode trazer para a sua vida (veja os depoimentos reais que busquei com alunas para distribuir por aqui) e de ensinar alguns dos principais movimentos, vou contar um pouquinho de como essa história começou. O pompoarismo é uma prática que surgiu no sul da Índia há mais de 1.500 anos. Nasceu com o Tantra e deixou marcas em várias outras culturas do Oriente. Um dos principais acessórios de treinamento, o *ben-wa* — bolas presas por um cordão —, por exemplo, é inspirado nas gueixas japonesas, que usavam colares de contas para aprimorar os exercícios. Danadas! Na Tailândia, a técnica ficou tão popular que virou atração turística. As pompoaristas tailandesas são conhecidas por fazer apresentações extravagantes de força, que vão de fatiar bananas a fumar com os movimentos de sucção e expulsão da cherolaynne. Já imaginou?

> *"Amo fazer o pompoarismo, me sinto mais segura e adoro ver o boy louco. E quando travo a pepeca, e ele não entra de jeito nenhum? Kkkkk"*

Acho que posso falar por todas nós, ou quase todas — nunca se sabe... — quando digo que o que nos interessa no pompoarismo não é exatamente o malabarismo, certo? E o que interessa, então? Pois bem, na década de 1940, o ginecologista norte-americano Arnold Kegel se aprofundou nos estudos dos exercícios da região pélvica, que se mostrou um tratamento eficaz nos casos de incontinência urinária, prolapso vaginal e na prevenção do prolapso uterino (que é quando o útero desce em direção à vagina) e popularizou-se entre a comunidade científica. Foi ele quem desenvolveu o que hoje conhecemos por "exercícios de Kegel".

> *"Só fiz aquele primeiro exercício de pompoarismo que você ensinou em um de seus vídeos, saí com um boy, e ele disse que minha pepeca mordia! hahaha Acredita? Ele gozou na hora e agora não me deixa em paz. Fiquei curiosa para aprender mais!"*

O principal objetivo dos exercícios é o fortalecimento da musculatura do assoalho pélvico, que é composto por treze músculos, além de fáscias e ligamentos. Ninguém fala muito dessa região, mas ela tem a função importantíssima de sustentar órgãos como a bexiga, o útero e o reto, que é a porção final do intestino. Com o passar dos anos, e com as atividades diárias que pressionam a região — tossir, espirrar, rir, levantar peso —, as fibras musculares do assoalho pélvico começam a ficar frouxas, assim como acontece com qualquer outro músculo do corpo que não é treinado. A gravidez e os partos vaginais também têm influência sobre essa região. Infelizmente, a maioria das pessoas não dá muita importância a ela até que os malefícios comecem a aparecer. É bem desagradável perder a força desses músculos. Além da flacidez vaginal, os escapes urinários incomodam demais! Eles são muito mais frequentes do que se imagina: hoje, no Brasil, já se sabe que uma em cada três mulheres acima dos 30 anos tem escapes urinários; com o passar da idade, essa estatística vai aumentando: 50% das mulheres com mais de 40 anos apresentam certo nível de incontinência, acredita? Ao restabelecer a resistência e força do músculo, muitos benefícios passam a ser notados, como o controle urinário e o melhoramento do próprio processo do parto e da recuperação. Uma mulher que domina a musculatura de seu assoalho pélvico e está consciente de cada um dos movimentos necessários para a expulsão do bebê é capaz de um trabalho de parto muito mais rápido e eficiente, além de uma recuperação pós-parto muito mais tranquila.

> *"Muito, muito obrigada mesmo. Desde a minha primeira menstruação, sentia cólicas fortíssimas, já cheguei até a desmaiar. Vi um dos seus vídeos sobre pompoarismo e comecei a praticar. Minhas cólicas estão mais leves, e espero que, em breve, eu esteja totalmente livre delas."*

A maior parte dos resultados da prática do pompoarismo está ligada ao aumento de força e do fluxo sanguíneo local. No caso da menstruação, por exemplo, temos como benefício a diminuição do fluxo e do período menstrual, uma vez que, ao fazer os exercícios durante esses dias, a mulher consegue eliminar o sangue mais rapidamente. Já tive caso de alunas que ficavam dez dias menstruadas e, depois do treino, passaram a ficar apenas cinco. Outro benefício relacionado à menstruação é a redução ou eliminação das cólicas. Como? Ora, a cólica é uma forte contração uterina para eliminar os coágulos formados pelo sangue. Se você treina, consequentemente aumenta a irrigação sanguínea local, e os coágulos não se formam; se não há coágulos, não há cólica. Já ouvi também agradecimentos efusivos de maridos relatando que a TPM de suas esposas melhorou consideravelmente (pense em um homem feliz de me encontrar, haha). Além disso, sabe-se que os sintomas da menopausa, como a redução da lubrificação, melhoram muito com o aumento do fluxo sanguíneo. A lista é longa. As infecções vaginais, sobre as quais já falamos aqui, costumam diminuir ou até desaparecer, pois, com o aumento do fluxo sanguíneo local, o sistema de defesa fica mais potente. Até mulheres com prisão de ventre contam que sentem melhora.

Para resumir, pompoaristas dificilmente sofrerão de prisão de ventre, infecções vaginais, sintomas de menopausa, cólicas, TPM, longos e intensos ciclos menstruais, lacerações e perda de força no pós-parto, incontinência urinária e fecal e flacidez na vagina. Tá bom ou quer mais? Porque tem mais, acredita? Esses são apenas os benefícios que não estão diretamente ligados ao sexo. Quando chego a eles é que a coisa fica do tipo "Ok, Cátia, você venceu, vamos começar logo com isso".

Para abrir os trabalhos, um lembrete: antes de treinar os movimentos do pompoarismo, seu cérebro só tinha notícias dessa estrutura muscular durante a penetração ou na hora de fazer xixi. Com o estímulo diário dos exercícios, mandamos a ele o recado de que há vida nessa região para além dos dois momentos. O "acorda, menina!" é ótimo! Há a liberação de estrogênio, elevação da libido e melhora da lubrificação. Se há sensibilidade, lubrificação, libido e controle de contrações e relaxamento, então não há espaço para dor e desconforto. Por isso, até os casos de vaginismo (contração involuntária da musculatura vaginal) têm melhora. Maaas... permita-me fazer uma observação muito importante neste momento: se você sofre com algum tipo de desconforto ou dor na relação sexual (também conhecida como "dispareunia") ou acha que sofre de vaginismo, marque agora uma consulta com o seu ginecologista ou com um fisioterapeuta pélvico para avaliação e possível tratamento. Os exercícios de pompoarismo podem, sim, fazer parte do seu tratamento, mas talvez sejam necessárias outras intervenções clínicas para a total reabilitação. Algumas vezes, é necessário até mesmo um acompanhamento com psicólogo para investigar a origem emocional dessa dor. Como sempre digo, não ignore os sinais do seu corpo e, por favor, não continue sofrendo por vergonha de procurar ajuda, isso não é justo com você.

> *"Depois que comecei a fazer o pompoarismo, mulher...*
> *Olha, me descobri na cama. Foram dez anos sem orgasmo,*
> *até que consegui gozar com a penetração. Amei a sensação."*

Com a injeção de sensualidade, autoestima e prazer proporcionada pela prática do pompoarismo, as chances de atingir um orgasmo são infinitamente maiores. Recentemente, uma aluna minha, Aline Marquardt, concluiu uma pós-graduação em sexualidade humana. Ela fez uma pesquisa com mulheres que praticam e que não praticam o pompoarismo com o objetivo de descobrir os benefícios sexuais da prática. Vou compartilhar alguns desses resultados com você. Uma das perguntas foi: com que frequência você chega ao orgasmo durante a relação sexual com penetração? Apenas 18% das mulheres que não praticam o pompoarismo responderam chegar lá em praticamente todas as relações; esse número sobe para 39,7% nas mulheres que praticam todos os dias e chega a 50% se, além de praticar todos os dias, a mulher pratica durante a relação sexual. Quanto ao desejo sexual, a diferença é ainda mais gritante: entre as que não praticam o pompoarismo, 19% afirmam ter forte desejo sexual; para aquelas que praticam todos os dias, a estatística sobe para 48,5%; já entre as que praticam duramente a relação sexual, o número bate a casa dos incríveis 73,3%. Quero citar apenas mais um benefício dos vários pesquisados: apenas 3,7% das mulheres que não praticam o pompoarismo têm mais de um orgasmo em praticamente todas as relações — não, você não leu errado, é só isso mesmo — *versus* 30% das que, além de praticar todos os dias, praticam durante a relação sexual. Diante desses números, só tenho uma perguntinha a fazer: em que grupo você prefere estar?

# MAS QUE EXERCÍCIO É ESSE AFINAL?

B asicamente, o pompoarismo é uma musculação íntima. Antes de tudo, é preciso que você identifique a musculatura que será trabalhada. Um bom truque é aproveitar a próxima vez que for urinar: segure o xixi por três segundos e identifique a musculatura que está usando para dar essa segurada. É exatamente ela que vamos trabalhar a partir de agora, mas em outros momentos do dia. Deixo bem claro que isso não é um exercício, e sim um teste para identificação da região a ser trabalhada. Se ficar segurando o xixi, vai acabar tendo problemas de infecção urinária.

> *"Cátia, meu marido me viu sentada no sofá de olhos fechados e perguntou o que eu tinha. Expliquei que estava fazendo os exercícios de pompoarismo. Ele respondeu imediatamente: 'então pode ficar aí quietinha que eu mesmo faço o que ia te pedir' Hahahaha."*

Como é de conhecimento de muitas pessoas, tenho um curso on-line de pompoarismo em que desenvolvi um método para ensinar o passo a passo de vários exercícios. Para o meu curso, preparei um programa de trinta dias iniciais, com evolução semanal. Tudo começa com cinco séries de trinta pulsações, com intervalos de um minuto. Nos próximos dias, a gente aumenta uma série e diminui o intervalo. A partir da segunda semana, esquecemos as séries e passamos a contar apenas o tempo. Então, introduzimos variações, voltamos às séries, entram em cena os acessórios, e assim seguimos, com treinos mais intensos, sem tédio, até fechar o mês com mais força muscular e com o hábito da prática diária já estabelecido. Em questão de uma semana, tem gente que já sente diferença. Mas não prometo prazos, até porque cada mulher tem um tônus diferente. Mas que ele chega, ah se chega! E é transformador. O pompoarismo é um saber que a gente leva para a vida. Uma vez que você aprende, é só usar quando quiser ou precisar.

Vou ensinar aqui dois dos exercícios mais fáceis e juro, juradinho, que, se você praticar, já vai ter resultados incríveis. Mas se quiser ficar fera mesmo e ainda não for minha aluna, te espero lá no curso!

### ▶ Pompoarismo: exercício 1

*Sabe a musculatura que você identificou? Vamos fazer a contração dela. É bem simples: contrai e relaxa, ou, como falo sempre, aperta e solta. Faça isso por dez vezes e descanse um minuto; repita mais duas vezes, ou seja, a famosa três séries de dez repetições. A cada dia, você pode ir aumentando uma série e, quando já estiver fazendo de oito a dez séries de dez repetições, experimente dividir seu treino ao longo do dia: cinco séries de manhã e cinco à noite. Lembre-se de que não precisa parar de fazer o que está fazendo para treinar: dá para treinar lendo este livro, assistindo a um filme, dirigindo, respondendo às amigas nas redes sociais. É tudo uma questão de prática e hábito.*

## ▶ Pompoarismo: exercício 2

*Deixe para fazer esse depois de uns quinze dias de treino, porque ele precisa de um pouco mais de consciência corporal e força, o que já terá se desenvolvido se você treinar certinho por duas semanas consecutivas o exercício anterior. Dessa vez, você contrairá a musculatura e segurará assim por cinco segundos. Descanse um pouco e repita o movimento mais duas vezes, aumentando gradativamente o tempo de contração. Sugiro um segundo a cada dois dias, até chegar a quinze segundos de contração. Esse é um treino excelente para a resistência muscular.*

*Pode parecer fácil e, de fato, é, mas não é só sair fazendo as contrações ou colocando as bolinhas* ben-wa *na vagina e achar que está certo. Existem detalhes e cuidados que precisam ser tomados para garantir a eficiência dos exercícios e assegurar a sua saúde e segurança, porque há, sim, situações em que o exercício não deve ser realizado.*

# RESPOSTAS PARA PERGUNTAS FREQUENTES

### Como saber se estou fazendo certo?

Só tem um jeito 100% eficaz de saber se você está fazendo as contrações corretamente e ainda medir a força delas: por meio de um exame chamado de "biofeedback eletromiográfico". Ele é realizado em consultório por um fisioterapeuta pélvico (assim como eu). Sei que 99% da população brasileira não vão ter um acesso assim tão fácil a esse tipo de exame, então vamos a dicas bem práticas: 1) se você consegue fazer o teste de segurar o xixi, sim, você está fazendo o exercício certo; 2) experimente introduzir um ou dois dedos dentro do canal vaginal, faça a contração e perceba se sente algo ao redor do dedo, nem que seja um leve apertãozinho (quanto mais leve for o apertão, mais você precisa treinar para adquirir força); e 3) muitas mulheres dizem sentir apenas a musculatura anal contraindo; se você sente isso, significa que está treinando corretamente, porque não tem como ter uma contração anal sem contrair a musculatura vaginal — os músculos são os mesmos. Acontece que temos mais consciência da musculatura anal, pois precisamos contrair e relaxar durante o ato da evacuação. Já a musculatura vaginal não exige tanta concentração assim, pois a gente faz xixi no modo automático. O que falta é percepção e força para sentir a musculatura.

### É normal sentir dor ou cólica?

Dor, não, mas algum desconforto pode haver, como uma cólica. Assim como todo músculo, o assoalho pélvico também responde com alguma sensibilidade ao ser exercitado pela primeira vez. É só você pensar em quando vai para a academia nos primeiros dias: o músculo que estava em repouso fica dolorido no começo, mas depois que passa a treinar, o incômodo desaparece porque se acostuma com aqueles novos estímulos. Com a musculatura do assoalho pélvico é a mesma coisa. Ela estava em repouso a vida toda e, agora, você começou a treinar, então essa cólica é supernormal. Mas, depois de alguns dias de treino, nada de incômodo.

### É normal ter corrimento?

A prática do pompoarismo não desencadeia corrimento. Pode ser uma coincidência: uma infecção vaginal que aparece na mesma época do início da prática. O corrimento tem cor, que pode ser um branco pastoso e cheio de bolinhas, amarelado ou até esverdeado; e tem odor forte, coça e incomoda. Então, não confunda com aumento de lubrificação, ok? Nossa lubrificação natural, que vai aumentar naturalmente, é transparente ou, no máximo, tem uma cor branco-leitosa, e não tem cheiro forte.

### Pode fazer menstruada?

Pode sim, só não pode usar os acessórios.

### É normal ficar excitada?

Sim! *Yes!* Melhor efeito colateral do mundo, não é, não? A lubrificação não aumenta à toa!

### Em que casos não se deve praticar?

No início da gravidez. A partir da 12ª semana, se estiver tudo bem com você e com o bebê, pode treinar, mas pergunte ao obstetra para não ter dúvida. Em casos em que o médico ou fisioterapeuta fizer alguma contraindicação, não treine. Durante o tratamento por candidíase ou infecção urinária, interrompa os exercícios. Com o aumento da irrigação sanguínea, não só as bactérias e os fungos do bem são alimentados, mas os indesejados também. Terminou o tratamento, aí sim pode voltar a fazer os exercícios sem problema nenhum.

> *"Eu sou a prova de que o pompoarismo funciona. Sempre tive orgasmos múltiplos, mas agora, com o pompoarismo, esses orgasmos ficaram muito melhores. Estou amando, gozando muito, e o meu marido, nem se fala. E gozar faz um bem danado, rejuvenesce e deixa a gente com um bom humor..."*

## POMPOARISMO E AUTOESTIMA

Digo por experiência própria que um dos maiores impactos do pompoarismo na minha vida foi a melhora da autoestima — e qual não foi minha surpresa, depois de começar a ensinar essa técnica para outras mulheres, quando ouvi delas esse mesmo relato? Falei do ciclo do sucesso lá na parte de autoestima. O pompoarismo é um bom exemplo de como ele funciona para fazer a mulher ser "boa de cama" e mais realizada e segura fora dela. Essa mulher começa treinando a técnica, passa a dominar os movimentos dos músculos vaginais e, além de aproveitar melhor os tamanhos de pênis, de P a GG, adquire habilidades, digamos, diferentes na penetração. Ela é capaz de estimular o mais hábil dos Brad Pintos beijando, sugando, chupitando ou dedilhando — tudo isso usando apenas a sua poderosa cherolaynne. O cara adora e elogia. Ela, além de envaidecida, sente mais prazer com o orgasmo. Fica mais confiante para a conquista, se for solteira, ou para dar outro show com o maridão. E assim vai: só sucesso. Ela se empodera através do sexo. Mas o pompoarismo não é uma ferramenta que tem como único objetivo satisfazer o homem, hein? É, na verdade, uma ferramenta de poder para as mulheres que, como consequência, beneficia o casal. Sorte deles. Há melhora do prazer para os dois.

*Poder* é a palavra. Nos feedbacks das alunas do curso de pompoarismo, as mulheres falam que, ao praticar os exercícios e aplicar as técnicas na cama, sentem-se poderosas. Relatam que têm mais vontade de fazer sexo e que com isso são mais procuradas pelo parceiro, tiram o relacionamento da rotina e — e o quê? Melhoram a autoestima. Ficam bem resolvidas!

## OS DEPOIMENTOS COMPROVAM

Conheci uma aluna outro dia que sofria de incontinência urinária. Ela é casada e vinha enfrentando questões de relacionamento, porque até dormindo tinha perda de xixi. Quando o marido ia procurá-la, ela morria de vergonha, porque estava molhada de urina. Para sanar a questão, ela se propôs a fazer meu curso on-line de pompoarismo e, por meio dos exercícios, conseguiu superar a incontinência. A partir de então, estava sempre pronta para fazer sexo — com uma habilidade a mais, o pompoarismo. Seu relacionamento retomou o ritmo, e ela, a autoestima. Olha que interessante: ao tratar uma questão fisiológica e sexual, ela resolveu também uma questão emocional.

E o inverso também acontece: dados de pesquisas com alunas do curso Mulheres Bem Resolvidas mostram que muitas delas vão muito mais tranquilas para a cama apenas por assistir aos conteúdos iniciais, que falam de autoestima, desenvolvimento pessoal. Elas nem precisam chegar nos módulos sobre prática sexual para se sentirem mais confiantes na cama. Ao tratar uma questão emocional, elas resolvem metade (ou mais) de uma questão sexual. Selecionei mais três depoimentos para você se inspirar e entender melhor esses processos, que estão interligados.

> *"Fui criada bem dentro do ninho, no interior, com uma mentalidade religiosa muito forte em que nada é permitido. Em casa, qualquer coisa voltada para a sexualidade era tida como pornografia. Me casei aos 18 anos com o primeiro namorado e acreditava que o nosso relacionamento na cama era padrão, mas com o tempo percebi que não estávamos felizes. Era muito tímida, só fazia sexo de luz apagada, morria de ciúmes, tinha complexo de inferioridade, não sabia quem eu era ou quem poderia ser. Para o casamento começar a ficar abalado, e a autoestima também, foi um pulo. Aí chega um momento em que você diz 'não dá mais'. A sensação era de fracasso... Os pensamentos sobre separação começaram a aparecer. Mas desistir de*

*projetos é difícil, e o casamento era um projeto importante para mim. Decidimos tentar de novo, mas não sabíamos nem como começar. Fiz o curso on-line da Cátia e comecei a entrar em contato com algo inédito para mim: falar sobre sexo e relacionamento com o meu marido. Aprendi não só que poderia fazer isso, mas como fazer isso de uma forma leve. Comecei a comentar sobre o que tinha ouvido na aula, e ele se interessou; passou a assistir comigo. Víamos as técnicas, falávamos sobre elas, aos poucos voltamos a nos unir, e isso salvou o nosso casamento! Nunca achei que fosse conseguir fazer uma dança sensual para o meu marido. Eu? Mas Cátia nos empodera, nos apoia, e enfim fiz a dança, do meu jeitinho. Nos alinhamos e ele também mudou, começou a explorar mais e querer entender melhor esse universo. Hoje tenho mais alegria, energia, autonomia e poder para me posicionar no trabalho e no relacionamento. Encontrei uma peça que faltava em mim."*

• • •

*Fiquei casada por seis anos, tivemos momentos de instabilidade tanto financeira quanto emocional. Sentia-me sozinha, trabalhávamos demais e tínhamos dois filhos pequenos. Pensava muito se não era melhor ficar "realmente" sozinha, pois aqueles sentimentos de solidão, estresse e tristeza me consumiam. Quando resolvi me separar, fiz a coisa certa. Alguns relacionamentos precisam acabar, os dois precisam crescer e se desenvolver separadamente. Hoje temos um relacionamento muito melhor, estamos bem, e filhos precisam de pais felizes. Comprei o curso porque estava em processo de autoconhecimento, melhorando, me aceitando como mulher e tentando explorar minha sexualidade. Eu não tinha namorado nem ficante: comprei para mim mesma, para melhorar e amar a mulher que sou. Nunca tive muito tempo, mas assistia às aulas aos domingos, especialmente quando meus filhos estavam com o pai. Isso melhorou minha autoestima. Sentia-me abalada, nunca fui magra, tenho ruguinhas e meus cabelos estão ficando brancos. Sabia que precisava me amar mais e ser melhor comigo mesma. Fiz meu primeiro striptease e morri de rir enquanto me despia. Pedi desculpas, pedi para recomeçar, e ele achou o máximo. O pompoarismo me ajudou muito na cama; o homem sente quando você faz algo diferente, e você também, fica confiante, liberada e bem resolvida. Quando se está bem com tudo, todos percebem, você fica feliz, se sente empoderada, e eu aprendi com o curso a não aceitar menos do que mereço. Aprendi a me amar, aceitar meus defeitos, modificar comportamentos, liberar traumas e dores. Hoje tenho plena noção de quem sou e de como fazer para dar certo quando eu quiser um companheiro. Hoje, eu escolho, porque eu sei aquilo que quero e mereço.*

• • •

*Fiquei casada por quase quatro anos com o pai da minha filha, que comecei a namorar aos 14 anos. Ele era muito ciumento, difícil, e resolvi me separar. Fiquei dois anos sozinha, só cuidando dela, até que resolvi entrar em um aplicativo de paquera. Fiz uma triagem para homens separados com filho e, depois de fazer contato, levei um mês para encontrar o meu atual marido. A identificação foi imediata. Combinamos de pegar leve, cada um na sua casa, e de não ter mais filhos. Até que engravidei dele num deslize, por conta de uma troca de anticoncepcional. Nos mudamos para um mesmo apartamento e caímos na rotina rapidamente. Foi ficando ruim, e cresceu a vontade de sair daquele estado. A Cátia chegou nesse momento e me mostrou que algumas coisas que eu achava serem problema não eram; que na verdade eram fáceis de resolver. Entendi que tinha muita coisa a trabalhar na minha autoestima. Ganhei segurança, mudei de atitude, emagreci doze quilos. Mas a mudança maior foi a psicológica! Aprendi que a prioridade na vida é ser feliz. Agora, confesso que a primeira vez que fui colocar em prática uma técnica de dança, tremi. Isso porque era um homem que já fazia parte da minha vida. Me lembrei da Cátia falando: 'Esquece, é seu momento, é para vocês dois'. Aí quando vi o semblante diferente no rosto dele... Aquilo já valeu por tudo. Ele me acompanhou na mudança, ficou mais criativo, é o primeiro a escolher uma música para os nossos momentos juntos e a sugerir viagens de fim de semana para o casal. Poderia congelar a minha vida neste momento atual, mas quero mais. Quero reaver o que perdi por não ter as informações que tenho hoje."*

# AGORA É QUE SÃO ELES: O CORPO MASCULINO

Não teria como falar de sexualidade sem falar sobre o corpo masculino, não é, não? Da mesma maneira que amo indicar a prática dos exercícios de pompoarismo para mulheres, acredito que não haja razão para que os homens fiquem de fora dessa. Muito pelo contrário: eles se beneficiam tanto quanto nós do fortalecimento do assoalho pélvico. Quer dizer que eles também têm assoalho pélvico? Ué, têm sim! Eles têm tanta coisa, e tudo tem nome, função, sensibilidade, acredita? A musculatura trabalhada no pompoarismo vai até a base do pênis e é voluntária, isto é, o homem tem controle sobre ela. Ao fazer os exercícios, a região fica mais irrigada, o que beneficia demais a ereção (veja os depoimentos ao longo da seção). Com a prática, a ejaculação fica mais controlada, e estudos atestam que até o nível de testosterona aumenta.

> *"Alguns exercícios do pompoarismo têm me ajudado bastante, tenho ereção por um período maior."*

Nós mulheres, muitas vezes, colocamos o pênis em um lugar de protagonismo exagerado quando se trata da sexualidade masculina, e os homens fazem o mesmo. Pior: reduzimos suas possibilidades, como se ele fosse um objeto inteiriço, capaz de sentir uma única coisa, provocada pelo mesmo movimento de sempre. Acontece que, assim como as mulheres, os homens também têm sensibilidades e, obviamente, gostos diferentes. Vou guiá-las em uma excursão a esse país maravilhoso chamado "aparelho reprodutor masculino". Aproveite para convidar o seu namorado, noivo, marido ou amigo colorido a embarcar conosco.

Para explorar novas possibilidades, é preciso também se conhecer. E o objetivo aqui é este: abrir novas janelas para você, para o seu companheiro e para a própria dinâmica da dupla. E você aí, solteira, vem junto, para entender e ensinar o caminho das pedras a um futuro companheiro. Sigam a bandeirinha da Cátia e boa viagem.

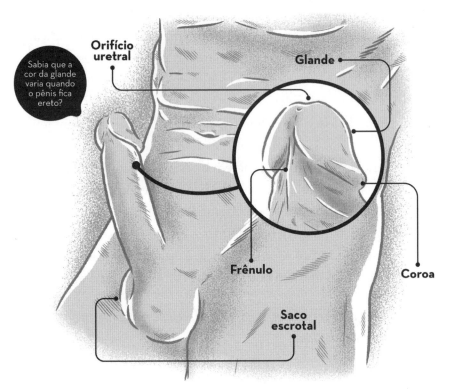

Na ilustração que apresentamos aqui, você vê que ao contrário de nós, os homens vêm com muitos itens de fábrica já do lado de fora. Digam "oi" ao pênis e a seu amigo saco escrotal, que é a casa dos dois testículos. Já adianto que, ao contrário do que se pensa, o pênis não é a parte mais sensível do corpo masculino, mas sim os testículos, muitas vezes ignorados por homens e mulheres. Um carinho feito da maneira correta nessa região pode provocar loucuras!

Aula de anatomia: as partes do pênis têm nome. O prepúcio, que cobre a glande (a cabeça do pênis), o frênulo e o corpo do pênis (já que tem cabeça, tem que ter corpo, né?). É claro que você não precisa saber desses nomes na hora de ir para cama. "Esse frênulo me deixa louca!" Não, mermã! Nada disso. Só quero que você reconheça o território e saiba onde está se metendo, ou melhor, o que está sendo metido em você (ah, desculpa, não aguentei, tive que fazer o trocadilho). Acredite em mim: conhecer esses nomes ainda será muito útil. Na glande fica o orifício uretral, por onde passam tanto a urina quanto o esperma. Entre a glande e o corpo do pênis, fica a corona, ou coroa. Dentro do corpo do pênis há espaços vazios que se enchem de sangue e, depois, murcham: são os corpos esponjosos e cavernosos. Cheios: pênis ereto. Murchos: pênis flácido. Entende agora por que a boa circulação de sangue, promovida pelo pompoarismo, é importante para ajudar na manutenção da ereção?

> *"Pratico no ônibus e às vezes nas reuniões chatas da empresa — mal sabem eles o que estou fazendo ali, hahaha. O que eu quero dizer é que é possível, mesmo para quem tem vida corrida."*

## PRECISAMOS FALAR DE EJACULAÇÃO PRECOCE

O que faz com que o sangue finalmente chegue ao pênis é sempre um estímulo, que pode ser físico, emocional, olfativo ou visual. A partir do estímulo, o sistema parassimpático aciona o cérebro, que, por sua vez, comanda o Brad Pinto a dilatar os vasos e, assim, receber o sangue. Uma vez que a ereção estiver completa, o sistema parassimpático sai de cena e dá lugar ao simpático, responsável pela tensão muscular, pelo estado de alerta, pela aceleração do batimento cardíaco e, no fim da relação, pela ejaculação. Está acompanhando? Na pós-ejaculação, volta o parassimpático para relaxar e desfazer o estado de alerta.

> *"Já faço isso há anos, a piroca sobe lá no teto! A crush adora!"*

Fico besta de ver o quanto a ereção é um processo sofisticado. É uma orquestra organizada entre dois sistemas que fazem parte do sistema nervoso autônomo, ou seja: nenhum homem consegue controlar 100% dela. "Então é verdade quando meu marido diz que está fora do controle dele ejacular rápido demais?" Mais ou menos. Menos para o caso de ele não sofrer de ejaculação precoce; mais se for essa a questão. A palavra é sofrer mesmo, viu? Porque isso causa um estresse grande para os homens e suas parceiras.

Primeiro, vamos esclarecer o que é exatamente a ejaculação precoce. O tempo médio que um homem leva para chegar ao orgasmo é de cinco minutos de penetração constante. Quem sempre, ou quase sempre, ejacula antes de dois minutos, tem sim uma questão de ejaculação precoce. Mas atenção: um período ejaculatório curto ocasional não fecha diagnóstico; é necessário que essa condição esteja acontecendo há um tempo.

Existem dois tipos de ejaculação precoce: a primária, que é uma disfunção crônica, ou seja, acompanha o homem desde a sua iniciação sexual e persiste ao longo da vida; e a secundária, que é quando o homem sempre teve uma vida satisfatória entre quatro paredes, mas por algum motivo passa a ejacular mais rápido do que gostaria. As causas podem ser várias: altos níveis de estresse no trabalho, problemas financeiros, alguma dificuldade ou perda, como o luto — que aumentam o nível de cortisol e, consequentemente, diminuem o nível de testosterona; questões hormonais de outra ordem; efeito colateral de medicamento contra depressão. É importante pesquisar, com a ajuda de um endocrinologista, urologista, psicanalista ou psiquiatra, o que o levou ao problema para atuar na solução.

Mas uma coisa eu digo, porque tenho acompanhado de perto pelo meu trabalho e porque já é um assunto referenciado em vários congressos de sexualidade, medicina ou psicologia: nesta vida de acesso rápido e fácil a todo e qualquer tipo de conteúdo, muitos homens desenvolvem a disfunção erétil por conta de pornografia digital em altas doses. Com os múltiplos estímulos visuais, os níveis de dopamina no cérebro aumentam muito. Com isso, o corpo estabelece uma relação entre aquele nível altíssimo e a excitação sexual. Quando o homem se depara com uma cena real de sexo, o estímulo não é suficiente para igualar o nível de dopamina a que ele está acostumado, e o Brad Pinto não consegue dar aquele show. O resultado é a disfunção erétil. Tem solução? Tem. Mas precisa de disciplina e paciência. Uma das primeiras sugestões dos especialistas é a abstinência de pornografia digital por, no mínimo, noventa dias, o prazo que o corpo precisa para que os níveis de dopamina voltem à normalidade. Uma vez investigadas todas as possíveis causas hormonais, físicas e psicológicas, com o acompanhamento dos devidos profissionais, é hora de partir para o pompoarismo, que ajuda a recuperar o ritmo saudável do sexo.

*"Me casei novo, com uma namorada com quem nunca tinha feito sexo. Quando tivemos nossas primeiras relações*

*juntos... foi desastre por cima de desastre! Descobri que tinha ejaculação precoce. Gozava em dois, três minutos! Como dar prazer dessa forma? Pensei até em divórcio. Até o dia em que, sem querer, vi um e-mail da Cátia na caixa de entrada do celular da minha esposa falando sobre pompoarismo. E não é que deu certo? Virei um touro na cama. Tenho duas ereções e estamos tendo um prazer que nunca tivemos... Muitos homens não falam por medo de se expor, ou por se sentirem inferiores, impotentes! Mas descobri um montão de pessoas ao meu redor que sofrem do mesmo problema. Hoje, tudo o que nos foi roubado durante o período de esfriamento na relação está voltando em dobro!"*

## AS ZONAS ERÓGENAS DELES

Agora, vamos para a cama. É a sua vez de estimular o parceiro. Durante as preliminares, vale passear pelo corpo dele, ativando a sua sensibilidade antes de chegar ao pênis (aliás, logo mais, no capítulo "#catiaresponde", ensino uma série de movimentos do tipo "sucesso garantido" para quando chegar a hora de se divertir com o Brad Pinto). Todas as regiões articulares, por terem pouca musculatura e alto índice de irrigação sanguínea, proporcionam grande prazer. Punho, interior de cotovelo, axilas, costelas, virilha, interior de joelho, pescoço e nuca são lugares pouco explorados no corpo deles e no nosso também. Não estou dizendo para abrir mão de acariciar bíceps e tríceps — que eu sei que muita gente adora. A operação aqui é de adição.

Pode ser que ele resista se você resolver passear por lugares nunca dantes navegados lá nas partes baixas. Pode ser que ele não saiba que sentir prazer com a companheira, em qualquer região do corpo que não seja o pênis — ok, vamos ser mais claras, na região anal — não determina a orientação sexual do homem. Indica apenas que ele é livre, que confia na mulher com quem se relaciona e está disposto a explorar mais esse momento a dois. A próstata é considerada o ponto G masculino. Se o que vem à sua cabeça é: "Será que ela está falando de fio terra?", eu te digo que sim, pode ser, mas não necessariamente. Há outras maneiras de estimular a próstata, além da penetração anal. O estímulo da região do períneo basta para fazer o cara ficar superexcitado. Assim como acontece conosco, essa região é também muito sensível para eles. A diferença está no tamanho; a nossa é bem mais curtinha (veja a próxima ilustração). Um movimento ascendente de polegares desde perto do ânus até os testículos, ou mesmo um movimento circular no períneo, sempre com delicadeza, com a polpa do dedo e com cuidado com as unhas, é capaz de estimular a próstata tanto quanto o fio terra (se você segue interessada nele — o fio terra —, também falo disso no capítulo "#catiaresponde"). O problema é que, entre os homens, tudo o que fica para trás dos testículos é tabu. Para você ver que não são só as mulheres que têm suas crenças para lá de mal construídas... Esse é apenas mais um dos mitos que põem à prova a masculinidade dos homens. Entenda que uma coisa é o prazer sexual, e outra é a afetividade. O que define se um homem é homossexual ou bissexual é o fato de ele se sentir atraído por outros homens, gostar de fazer sexo com eles — não tem a ver com a região do corpo onde ele sente prazer. E ponto.

Mas só para deixar bem claro, aqui vale a mesma premissa do "não é não". Não é porque eu estou falando que é uma região erógena que você vai chegar lá nas partes do rapaz enfiando o dedo onde não foi convidada. Cabe a ele permitir ou não a sua aproximação; todos temos limites, e eles precisam ser respeitados, sempre.

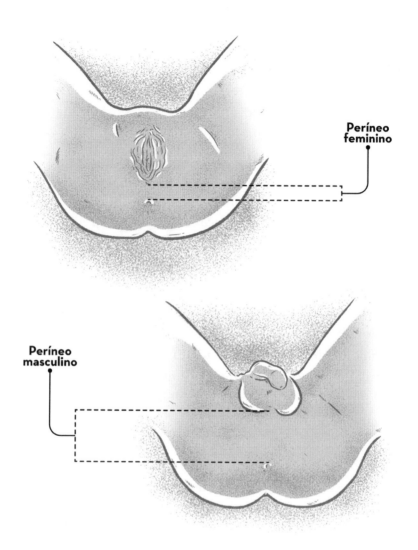

## VENDE ESTE HOMEM

Digo, coloque uma venda neste homem! Eu gosto bastante de ensinar esse truque para as minhas alunas, e deixo aqui para você colocá-lo em prática com um homão daqueles, que merece investimento, ou para dar aquele "se liga" no marido. A ideia é mesclar os estímulos já conhecidos com novos, assim você vai apresentando possibilidades, sem tirar do parceiro o que ele já conhece e gosta.

Os homens são criaturas visuais por natureza, por isso uma lingerie mais elaborada faz sucesso, pelo menos com a maioria deles. Então, primeira coisa: não o deixe vendado durante muito tempo. Um minuto, no máximo dois, já bastam. Faça uma massagem, separe um gel que esquenta e um que gela. Se não tem o gel, que tal uma pedra de gelo e mel morninho (só não vai queimar a criatura!). Coloque o parceiro deitado, passe o quente de um lado e o frio de outro — o quente em uma região que você costuma estimular; o frio em uma que você quer apresentar. Tire a venda e parta para o sexo oral. Quando ele estiver bem estimulado, volte a venda para fazer uma massagem. Em seguida, tire a venda de novo e siga para a penetração. Para simplificar: sempre que o estímulo estiver no pênis, a venda sai; estímulo pelo corpo, a venda entra em ação. Se quiser amarrá-lo para a brincadeira ficar ainda mais interessante, esse é o momento. Agora só falta você entrar com suas habilidades. Dois pompoaristas juntos, já pensou?

# FINGIR, JAMAIS

Um dos piores erros que uma mulher pode cometer na vida é fingir o orgasmo. Independentemente do estado civil, ela só tem a perder, e aqui explico por quê.

Nunca fui mulher de fingir orgasmo. Nunca fingi, mesmo! Solteira, eu já ia dando uns toques para o cara, para ver se a engrenagem pegava no tranco. Depois de umas tentativas, ficava muda para ver se assim rolava e, se nada acontecesse, eu já ia meio que saindo fora. Mas ainda são muito comuns casos de mulheres casadas e solteiras fingindo prazer. Essa queixa sempre aparece nas minhas redes sociais, por isso posso afirmar.

Geralmente, são dois os motivos. O primeiro é que ela não consegue gozar, mesmo na masturbação. Já conversamos bastante sobre isso, portanto acho que agora deve estar mais claro: tanto na parte física como na emocional, foque no "relaxa e goza"! O segundo motivo é a cobrança dos homens para que elas gozem apenas com a penetração. O que já ouvi de mulher que "não pode" estimular o próprio clitóris durante a penetração porque o homem "não deixa"... Coloco entre aspas porque 1) pode, sim; e 2) o corpo é dela, ninguém pode impedi-la de se tocar. Sem comentários. "Por que você está fazendo isso? Não sou bom o suficiente? O meu Brad Pinto não te satisfaz?" Ela, sem graça, tira a mão. E fica na mão...

Peraí, ele acha que manda no orgasmo de uma mulher? Quer saber o que eu, Cátia, teria dito nessa situação? Bem, para começo de conversa, não corria o risco de isso acontecer, não, mermã. "Tenho nem roupa pra isso", como dizem por aí. Mas se acontecesse... Sairia da cama na hora. Não pode pôr a mão o quê, meu filho?! Não vou para cama só para agradar homem, não. Mas, tudo bem, vamos supor que o sujeito não sabe que orgasmos femininos podem vir pela via clitoriana. Em vez de fazer como eu, respire, sorria e explique expressamente que é assim que você chega lá, é assim que gosta, e que está tudo certo com isso, pois assim fica bom para os dois, e não só para ele (aproveite a técnica sanduíche e finalize com aquele elogio para o Brad Pinto, mas só vale elogio verdadeiro, hein!).

E se você deseja conhecer o orgasmo vaginal, lembre-se de que o pompoarismo potencializa-o. Vá aos poucos treinando a sua musculatura para se permitir tentar esse prazer. Se acha que há uma questão emocional, reflita melhor sobre o assunto, leve o tema para a terapia, ou divida com o seu parceiro. Com calma e vontade, você chega lá.

Na minha peça *O que pode dar errado na cama*, falo sobre o assunto:

*"A mulher que finge orgasmo está distribuindo mercadoria estragada para o mercado! Não pode! Cadê a sororidade? Vamos ajudar as coleguinhas!"*

As mulheres se matam de rir, e os homens não reagem diferente. Mas que a minha piada é séria, isso é. Vai que vocês resolvem ficar de novo? Tem que ser bom para todo mundo! Não deu certo a primeira vez? Está super ok, vocês estão se descobrindo. Ninguém precisa chegar lá, então ninguém precisa fingir.

Fingir nunca é bom, nem para o homem, nem para a mulher, mas nós somos as mais prejudicadas. Ao fazer isso, você deixa de se permitir ter prazer, pois, se o cara faz sexo só do jeito dele e você finge prazer para agradá-lo ou para não o deixar sem graça, pode apostar que vai sentir a mesma coisa da próxima vez. Ou seja: nada. O bonitão vai pensar assim: já sei exatamente o que fazer para tirar essa mulher do prumo e ter o melhor sexo da vida dela! Uai, gente, não sabe, não. Se ele continuar com os mesmos movimentos e estímulos e você com a mesma atuação, cria-se um círculo vicioso da mentira, cujo desfecho a gente já sabe: insatisfação — da sua parte, principalmente. Além disso, não dizer nada é subestimar a capacidade do parceiro, que pode estar querendo muito te agradar, e você nem dá chance de ele tentar. E aí, olho aberto: se o motivo do fingimento é medo de desagradar o homem, porque sabe que ele é do tipo estourado e pode transferir a culpa para você de maneira ríspida, meu conselho é: cuidado, isso pode ser uma pista de relacionamento abusivo.

Sexo é fonte de prazer, não de frustração. Agora, se você já está em um relacionamento há um tempo e tem fingido seja por que motivo for — por não ter orgasmo, por um desconforto que nunca teve coragem de compartilhar com seu companheiro —, o próximo capítulo, "Relacionamento", vai ser superimportante. Na parte de sexualidade eu já te ajudei, o que você precisa agora é melhorar a comunicação com o *boy*!

# USAR CAMISINHA, SEMPRE

Você já sabe que precisa usar camisinha. Campanhas de governo foram feitas à exaustão para divulgar essa mensagem, e não faltaram palestras nas escolas e reportagens na imprensa. O que eu quero saber é: por que você não anda com a camisinha na bolsa? Delegar para o homem a responsabilidade de carregar um preservativo? Não faz sentido. A saúde é sua, então, tenha você mesma uma, ou duas, ou mais! Ela é mais importante na bolsa da balada do que o celular, a carteira de identidade, o cartão do banco e a chave de casa — sem estes, você se vira. Mas sem camisinha não tem acordo. Quem vê cara não vê coração; quem vê rola não vê exame de sangue. Afe, falei!

"Ai, Cátia, mas o que ele vai pensar de mim?" De novo isso? Vai aí a minha opinião: ele vai pensar que você é uma mulher segura e que se previne. Uma mulher que tem amor-próprio. E o que ele pensa, na verdade, não importa. Este é um assunto sério, então pense em você e no que é bom para você. Estamos há décadas tentando ter o direito sobre o próprio corpo. Pois bem, junto com o direito, vêm os deveres, vêm as responsabilidades de cuidar dele. O HPV é transmitido só de encostar pele com pele, mas todas as outras doenças de contágio pelo sexo — as infecções sexualmente transmissíveis (IST), como HIV e sífilis — podem ser prevenidas com o uso da camisinha. Então, faça questão dela e não entre em conversinha de homem. Tem uns caras, vou te contar... insistentes que só eles. Mas logo abaixo você encontra resposta para a ladainha!

### — É que eu tenho alergia...

— *Ah, eu também, por isso trouxe uma que não é feita de látex. Se você preferir, eu também tenho uma feminina, que não dá alergia.*

### — Sempre uso, mas é que eu gostei de você. Eu confio em você...

— *Você acabou de me conhecer, está doido? Nem sabe com quem eu dormi... (Ele nunca vai esperar que você diga isso. É um choque de realidade!)*

### — Mas é que sem camisinha é melhor, mais gostoso...

— *Tem camisinha com textura bem fina na farmácia!*

### — Mas é que fica muito apertado...

— *Lá tem para tamanhos grandes também.*

### — Mas é que...

— *Olha, enquanto estamos nos conhecendo, é todo mundo com preservativo ou nada. Não quer? Puxa, então boa noite.*

Fique tranquila. O que não falta por aí é homem, e homem com cabeça boa. E o que não falta é camisinha também. Além de tamanhos e texturas diferentes, tem ultrarresistente, com espermicida, que esquenta, que esfria, com cor, com sabor, fluorescente — isso é ótimo para brincar e quebrar o gelo. Diga algo como: "Hoje estou com vontade de fazer sexo oral com sabor morango!". O preservativo feminino é mais caro. Quando procurei, não encontrei em nenhuma farmácia, mas os postos de saúde distribuem de graça. Ele pode ficar na vagina por oito horas, então você pode até colocar antes da balada — e funciona bem para uma rapidinha. Só tem uma coisa: um dos anéis do preservativo fica para fora da vagina, e isso causa uma visão incomum. Mas, no fim das contas, tanto faz se o preservativo é feminino ou masculino, o que importa é que ele esteja lá e, claro, que esteja colocado da maneira correta. Não lembra como coloca? Nada que um Googlezinho não resolva. Lá no meu canal mesmo tem vídeo sobre isso.

Você não tem nenhum motivo, a não ser ignorar os riscos ou ter baixa autoestima, para se sujeitar a uma relação sexual sem preservativo. Vai por mim: é melhor dispensar essa oportunidade. Com camisinha, você deixa de "contrair" duas coisas: doenças e filhos não planejados, que vêm acompanhados de boletos e mais boletos. Confie em mim: eu tenho quatro filhos, e dá-lhe boleto... Quem me conhece sabe que meus filhos são meu maior tesouro, minha vida fora de mim, meu mundo. Por eles, sou capaz de qualquer coisa, qualquer coisa mesmo, até mesmo de ficar imóvel em uma cama por seis meses, como aconteceu com a gravidez do Matheus, meu último pedacinho de gente. Meus filhos são maravilhosos, mas que dão despesa, ah, isso dão. Então, só recapitulando, é bem mais barato e saudável usar preservativo.

Aviso dado, termino com um alerta. Se você topou fazer sexo sem camisinha, assuma os riscos. Eu poderia até acrescentar o plural, "assumam", mas, como estou falando com você, e como sabemos que o Brasil tem mais de 5,5 milhões de crianças registradas sem o nome do pai (dado do IBGE), o verbo vai ficar, infelizmente, no singular mesmo. Lembre-se dos primeiros capítulos, em que falamos sobre autorresponsabilidade e amor-próprio. Ter camisinha na bolsa, para mim, é isso: amor-próprio!

## SEM CAMISINHA

Firmou o namoro? Passados alguns meses, vocês podem decidir, por conta e risco dos dois, deixar de usar a proteção. Comigo e com o Robson foi assim. Um tempo depois que começamos a namorar, eu mesma sugeri a retirada. Ele concordou. "Você se importa de fazer uns exames de sangue?", eu perguntei. Ele respondeu seguro: "De forma alguma". Lá foi ele, lá fui eu. Apresentamos os exames um ao outro e conversei com a minha ginecologista para voltar a tomar anticoncepcional. Não custa lembrar que os exames passam, a partir daí, a fazer parte do *check-up* do casal, a cada seis meses. Simples assim. "Ai, Cátia, mas como vou dizer isso ao *boy*?" É exatamente sobre isso que vamos conversar no próximo capítulo. Te vejo lá!

# Relacionamento

# ESTAMOS DE ACORDO?

Sabe o que acho mais difícil em um relacionamento? Conversar sobre ele. A mulher fala uma língua; o homem, outra. A ciência explica esse mistério, sabia? Mesmo assim, os desencontros na área da comunicação são tão frequentes... Tem muito casamento de anos que acaba por conta disso! Recebo vários depoimentos de alunas contando que não conseguiam conversar com o companheiro sobre sexo, planos, combinados. E que a vida muda quando passam a se entender melhor. Saber falar e saber ouvir é tão importante que já vi até ex-casal voltar a ficar junto depois de acertar os ponteiros da comunicação. Ainda bem que nunca é tarde para começar.

*Acredito que relacionamentos, amorosos ou não, são a arte de fazer acordos. Os acordos devem ser feitos e cumpridos pelos dois, e, para isso acontecer, é preciso negociar.*

Mas como negociar? Por que conversar com homem é tão diferente de conversar com as amigas? Que língua esses caras falam? Por que tantas mulheres entram numa fria de lascar e se relacionam com pessoas que, depois de demonstrar carinho e cuidado com palavras doces e promessas mil, mostram-se tão agressivas?

Neste capítulo, você entenderá por que bato na tecla do falar e do ouvir, do saber se comunicar, do se fazer entender. O autoconhecimento é essencial para todas nós, em qualquer área da vida, sem dúvida. Contudo, quando unimos ao conhecimento pessoal a capacidade de dizer a que viemos e entendemos o que o outro está querendo dizer, seja com palavras, seja com gestos e atitudes, aí nos tornamos fortes. Nos tornamos grandes mulheres.

Quero que você termine este livro sabendo o que quer de um relacionamento amoroso, que papel ocupa no seu atual relacionamento e onde quer (e pode) chegar com ele. Também quero que você tenha amor-próprio o bastante para ser capaz de identificar se o que tem em mãos é amor ou roubada, além de saber impor limites para viver em casal sem jamais se subjugar. Desejo igualmente que você cultive o melhor para si mesma, olhando para um término de relacionamento como uma mulher bem resolvida deve olhar: com toda a bagagem de conhecimento que ele traz, mas principalmente com data-limite para que o sofrimento cesse e dê espaço para um recomeço — porque ele existe e é possível. Confio que as próximas páginas vão te ajudar e orientar nessa jornada.

# SEDUÇÃO: TUDO O QUE VOCÊ PRECISA SABER

Seduzir vem do latim, *seductione*, e significa fascinar, encantar. Confesso que esta será uma seção mais voltada para as solteiras e, aqui, incluo divorciadas, viúvas e todas aquelas que ainda não têm um amor para chamar de seu. Mas terão, sim, informes para as que jogam no outro time, o das casadas, namoradas e noivas, que juram que já passaram pela fase da conquista e agora não precisam mais se preocupar com o "jogo da sedução" — pois é, trata-se de um jogo, e pensar assim, acreditar que "já passou da fase", pode ser perigoso, pois conquistar um alvo a primeira vez é fácil, tudo vem recheado de novidades, mas mantê-lo interessado por anos exige um pouco mais de jogo de cintura.

Já notou que, para falar do assunto, a gente usa a expressão "arte da sedução"? Essa colocação tem fundamento, já que seduzir é também um teatro que envolve ofertar e retirar, encantar, atuar e fascinar. Envolve estratégia e até certa dose de manipulação. Mas não se assuste, nem ache que está bancando a maior mentirosa da paróquia, até porque, como dizia meu sábio pai, mentira tem perna curta, e ninguém quer começar um relacionamento baseado nesse sentimento, não é? Além disso, no que se refere a sexo, o seduzido não está nem um pouco equivocado sobre as suas intenções — que provavelmente são as mesmas que a dele.

Esse homem tampouco vai se enganar sobre sua beleza ou seu corpo, a não ser que vocês tenham se conhecido por meio de um aplicativo e a senhorita fez a gentileza de colocar a foto de outra pessoa no perfil — por favor, né? Tô nem levando isso em consideração, mas a gente fala sobre esse tema já, já. Se ele entrou na brincadeira, é porque gostou do que viu. Por isso, não fique insegura pensando que precisa ser uma mulher linda-maravilhosa--escultural para aplicar as técnicas que vou ensinar aqui. Embora cuidar da aparência pessoal seja importante, a atitude confiante, o astral e um bom papo têm um valor muito maior. A ideia é esquentar o clima e criar um momento distante da rotina do dia a dia, que mostre para a pessoa que ela é desejada. E quem não gosta de se sentir assim quando o sentimento é recíproco?

Além disso, acredite, temos o poder da sedução guardado em algum lugar da nossa mente. É que nós, mulheres, fomos aprendendo a seduzir para conseguir o que queríamos ou precisávamos. Historicamente, em épocas em que o poder era conquistado majoritariamente pelas guerras e pela força física, cabia a nós usar a sedução, não para o sexo apenas, mas como uma ferramenta, talvez a única disponível, para que conquistássemos nosso terreno.

Para mim, Cleópatra é o melhor exemplo de mulher sedutora. Ela sabia como marcar presença com sua estética e fez história, com os olhos sempre muito maquiados, toda adornada e bem cuidada — estar presente, saber aparecer entre os demais é a primeira lição da sedução. Cleópatra promovia festas grandiosas — saber conversar, ser interessante, carismática e envolvente é a segunda lição. Ela fazia os homens se esquecerem das guerras e pararem de pensar em suas duras realidades para se encantarem por ela, e, então, saía de cena como ninguém. Ponto para Cleópatra, que conseguia o que queria. O que você talvez não saiba é que esse mulherão, de quem se fala até hoje, era uma mulher baixinha e destituída de beleza natural. Era feinha mesmo. Ela é a prova de que confiança e personalidade marcante têm poder. Se você não acorda linda e pronta para o dia, tal e qual o resto da população mundial (Cleópatra e eu incluídas), precisa se render ao inevitável, que é descobrir quais os pontos positivos a valorizar em si, sejam físicos, sejam psicológicos, e como fazê-los trabalhar a seu favor.

Quando me separei e voltei a sair com amigas, só pensava no quanto minha magreza e meu corpo — principalmente os seios, que já haviam amamentado dois filhos e não eram mais a mesma coisa — afastariam os homens. Tive que me agarrar àquilo que, no meu físico, me deixava mais segura. Não tive dúvida: eram os belos olhos verdes (sempre gostei deles), que vieram de herança da família alemã junto com as madeixas ruivas. Deve ser por isso que me identifico tanto com a Cleópatra! Aprendi a maquiá-los de maneira a me destacar. Pesquisando sobre linguagem corporal, entendi que poderia me comunicar através deles. Teria que olhar o paquera, mas não de maneira intimidadora, e sim desafiadora e instigante. Olhar e encarar as pessoas nunca foi um desafio para mim, pois, por ser muito visual, sou extremamente observadora. Acabei criando até mesmo um passo a passo para ajudar as mulheres com dificuldade de encarar, ou excessivamente tímidas, a vencer esse desafio, que para algumas pessoas é enorme: olhar nos olhos com segurança.

## ▶ Começando a flertar

*Encarar é um bom jeito de começar a praticar as habilidades sociais. Comece fixando o olhar em pessoas desconhecidas por apenas três segundos, como quem não quer nada.*

*Se achar que esse é um passo muito largo para sua personalidade discreta, comece devagar. Pessoas muito tímidas têm o hábito de caminhar com o rosto e os olhos voltados para baixo. A primeira tarefa, a partir de agora, vai ser levantar ao menos os ombros, deixando-os abertos — pode continuar andando com o rosto baixo, mas os ombros sempre abertos. Dias depois, no máximo uma semana, levante o queixo e use óculos escuros para se sentir mais segura. Não precisa olhar para ninguém, apenas caminhe com atenção nessa postura: ombros abertos e queixo erguido. O próximo passo é encarar as pessoas por trás das lentes. Eu sei que você vai ter a sensação de que todos estão sabendo, mas, acredite, ninguém está te vendo por trás das lentes (certifique-se de que sejam bem escuras). Dentro de mais alguns dias, parta para lentes mais transparentes, até tirar os óculos e olhar para estranhos por apenas um segundo, depois dois, até chegar a três. Cumprimente pessoas no elevador, faça algum contato. Vá no seu tempo, mas não se demore muito na zona de conforto. Para algumas pessoas, esse exercício pode parecer simples, até mesmo ridículo, mas para quem sempre foi muito tímida, ou tem algum sentimento de inferioridade ou rejeição, ele pode ser bem difícil e, ao mesmo tempo, transformador. Não passe mais de uma semana em cada etapa, isso é crucial. Se somar tudo, vai ver que não é da noite para o dia — demora pelo menos um mês —, mas também não deve durar anos.*

*Enfim, superada essa etapa, há outras maneiras de se comunicar com estranhos antes de partir para o flerte em si:*

- *Pergunte as horas na rua a um completo desconhecido — de preferência, alguém minimamente interessante ou atraente, ou um gato mesmo! É uma pergunta rápida e objetiva, não vai doer nada.*

- *Puxe uma breve conversa na fila da padaria, no metrô, no restaurante do almoço. Não escolha um alvo, apenas pergunte ou comente algo com pessoas aleatórias. Ajuste um bom sorriso e um tom de voz e um olhar acolhedores.*

- *Coloque o "permitir-se" em prática: experimente fazer algo novo, fora da sua rotina, de preferência sozinha. Deixe o pessoal do trabalho e almoce desacompanhada em um novo restaurante. Vá a um parque, em vez de ir à academia, ou vice-versa. Viaje para um destino desconhecido. Faça uma aula diferente. Vá ao museu. Por fim, encare uma saída à noite em um lugar onde se sinta confortável. Nesse caso, deixe o celular carregado e mantenha uma amiga informada sobre sua localização, principalmente se sair de lá acompanhada.*

Monica Moore, uma psicóloga ph.D. da Universidade de Missouri, nos Estados Unidos, pesquisa desde a década de 1980 os gestos não verbais da paquera — como o olhar, a mão nos cabelos, o sorriso. Em 2010, ela publicou uma interessante revisão histórica de praticamente cinquenta décadas de estudos sobre o assunto e pontuou alguns aspectos interessantes dessas descobertas científicas. Ela conta, por exemplo, que o flerte serve não apenas para comunicar interesse inicial em parceiros potenciais, mas também para injetar diversão no relacionamento já estabelecido (alô, casadas!). Outra informação importante é que, em dois terços dos casos, é a mulher quem faz o primeiro movimento, mas, como os seus gestos são muito sutis, parece que são os homens que tomam a iniciativa. Lembre-se desse dado para se sentir mais confiante: de fato, é a mulher quem permite que o cara se aproxime. A pesquisadora também conta que o jogo da sedução não se estabelece por um dominante e um dominado; ao contrário, funciona como uma dança, em que um sinaliza que as investidas do outro são bem-vindas, e assim os dois vão se correspondendo. Já os momentos pré-sexo tendem a ser mais conduzidos pelos homens. Por fim, pasmem: esse ritual de acasalamento pode ter de 4 a 24 fases!

Outra revisão de pesquisas na área, feita pela Universidade de Wroclaw, na Polônia, focou no tom de voz e no cheiro como ferramentas de atração. Em alguns dos experimentos, pedia-se aos participantes que descrevessem as características do dono de uma voz (se ela demonstrava coisas como domínio, cooperação, estado emocional e até se vinha de um falante alto ou baixo), com boas taxas de acerto. Ah, vai me dizer que você nunca percebeu que altera, mesmo que inconscientemente, o tom de voz em uma conversa mais sensual, ou quando quer mandar um áudio mais danadinho para o *boy*? Se nunca percebeu, preste atenção das próximas vezes, pois tanto mulheres como homens tendem a deixar a voz mais grave, fugindo do tom infantil. Outros estudos mostraram que é possível deduzir corretamente informações baseando-se apenas no aroma da pessoa. O que você pode aprender com isso?

São muitos os estudos sobre comunicação não verbal que atestam que o corpo fala mais do que as palavras. E assim como você "lê" o homem, também está sendo "lida" por ele. No campo da sedução, ganha pontos quem interpreta melhor e quem se comunica melhor com o corpo. Como dominar esses dizeres todos? Não vejo outra saída senão por meio do autoconhecimento.


## AUTOIMAGEM

Vamos começar pela autoimagem, termo usado por psicólogos para se referir ao nosso retrato mental, ou seja, como a gente se enxerga. Deixe-me adivinhar: você é capaz de encontrar mil defeitos em si mesma em uma rápida olhadela no espelho. A gente já falou disso: dificilmente uma mulher se aprova em sua totalidade, mas a imagem que você projeta de si mesma tem tudo a ver com a forma como será vista pelos outros. Sua aparência deve ser fonte de autoconfiança — simplesmente porque poucas coisas são mais sexy do que uma mulher confiante. Não confunda com arrogância, hein?

### ▶ Os seus melhores ângulos

*Saiba que é possível dar uma ajudinha para a sua autoimagem. Fazer algumas selfies no espelho pode ser um bom exercício para você se conhecer melhor e encontrar seus melhores ângulos. De rosto e de corpo. Preste atenção nos elogios de pessoas próximas: elas enxergam você de frente e de costas e comentam, aqui e ali, o que acham bonito no seu corpo, a cor que lhe caiu bem, um corte acertado de cabelo, o perfume mais notável. Um exercício importante, e que pode ser desconfortável, é buscar na memória os adjetivos negativos que você ouvia na infância sobre a sua aparência. Essas palavras podem estar reverberando até hoje no seu inconsciente. Elas ainda fazem sentido? Será que não é hora de deixá-las lá no passado e se transformar no que você quer ser — ou no que já é? Tome as rédeas da sua imagem.*

## SUA MELHOR VERSÃO POR FORA

Você pode encontrar o grande amor da sua vida vestida com calça de moletom, cabelo preso com piranha e esmalte descascando na fila da padaria. Tudo pode acontecer! Mas aqui estamos falando do ato de seduzir e, para jogar esse jogo, não importa o seu estilo: precisa pensar melhor o visual para deixar que o corpo se comunique. Pense no pavão, que quando quer chamar a atenção da pretendente abre um leque com as penas mais lindas do mundo. Não precisamos carregar nenhum estandarte, ufa! Porém, temos que procurar uma boa versão estética de nós mesmas. Sabe por quê? O visual chega antes da personalidade e comunica, sim, muito do nosso estilo e das nossas intenções. Ajuste o foco. Se não é da turma do *babyliss* capa de revista, prenda um coque poderoso. Se não gosta de saltão, use salto baixo. Conhecendo melhor o seu corpo e o seu estilo, fica mais fácil acertar. E digo isso por experiência própria.

Sou filha de costureira, como já te contei, então minha mãe sempre fez as minhas roupas; inclusive, foi mamis quem fez o meu vestido de 15 anos e também o do casamento. Nunca fui muito de seguir moda, gosto de usar o que acho bonito em mim ou nos outros, e era aí que morava o meu erro. Sabe aquela roupa que você vê na sua amiga ou na blogueira de moda e acha linda? Aí você compra pensando que vai ficar bonita em você também, mas quando veste não fica tão bom? Pois então, eu era assim. Até que conheci uma *personal stylist* que hoje é muito minha amiga, a Karol Sthar, e ela deu uma luz na minha vida. Fiz uma consultoria e descobri por que roupas que eu achava lindas nas minhas amigas simplesmente não combinavam comigo. Havia uma série de fatores; vou compartilhar um pouquinho aqui.

Só para você ter uma ideia, existem cinco tipos de corpos e sete tipos de estilo. Quando você identifica o seu biotipo e o seu estilo corporal, amiiiiiga, você passa a se sentir muito melhor dentro das roupas. Para mim, pelo menos, foi uma economia maravilhosa, porque parei de gastar tanto dinheiro com roupas que simplesmente não me valorizavam e hoje sei exatamente o que fica bom e quais vitrines nem preciso passar na frente. Vou deixar um esqueminha dos cinco tipos de corpos para você tentar se identificar. A ideia é sempre chamar a atenção para a parte menor e disfarçar a parte maior. Eu, por exemplo, sou triângulo invertido, ou seja, ombros largos e quadril estreito, então o que funciona são calças mais chamativas e blusas mais discretas, cores claras embaixo e escuras em cima, colares compridos e uma terceira peça, como um blazer ou colete, para afinar a parte de cima e equilibrá-la com a parte de baixo.

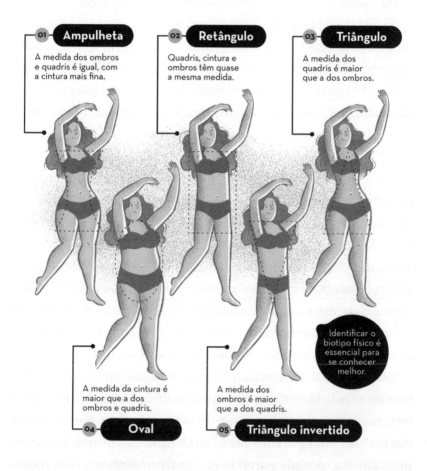

Além da diferença de formatos de corpo, que são naturais, ainda existe o estilo de cada mulher, que pode ser moderno, elegante, romântico, clássico, *sexy*, tradicional ou básico. Geralmente, usamos dois deles. Eu mesma sou uma elegante/moderna. Como se não bastasse, cada mulher ainda tem uma cartela de cores que valorizam ou detonam sua aparência. E tem mais: existe uma técnica chamada visagismo que estuda o seu tipo de rosto e qual corte de cabelo te valoriza. Eu não sabia de nada disso até conhecer a Karol e confesso que essas dicas me ajudaram muito no meu processo de autoconhecimento. Então vá lá e se aprofunde no assunto, porque a autodescoberta é muito legal.

Se tem dúvidas sobre o seu estilo de se vestir, pentear e maquiar, contrate uma *personal stylist*, faça uma consulta com uma visagista, siga nas redes sociais mulheres com quem se identifique, assista a vídeos no YouTube — você vai aprender bastante. Hoje em dia, há tutorial, inspiração e profissional para tudo! Esteja de bem consigo e com o espelho. Isso vai fazer de você uma mulher mais segura, e garanto que assim fica bem mais fácil chamar a atenção.

Deixe-me dar uma dica de produção aqui: o salto alto tem poder! A gente sabe disso quase que intuitivamente, mas a ciência comprova. Pesquisadores da Universidade de Portsmouth, na Inglaterra, gravaram vídeos de mulheres andando com salto alto e, depois, com salto baixo. Os participantes que assistiram às gravações da marcha dessas mulheres tinham que julgar qual era o caminhar mais atraente. Ganhou, de longe, a marcha de salto alto. Análises biomecânicas mostraram ainda que o uso do saltão aumenta a feminilidade do caminhar porque reduz o comprimento da passada e eleva a rotação e a inclinação dos quadris: a famosa rebolada. Um superestímulo, certo? Não é o nosso caminhar natural e, por isso mesmo, ele comunica algo. Vale aprender a andar de salto para se fazer notar! Quer saber um truque de uma das *sex symbols* universais? Marilyn Monroe cortava meio centímetro de um dos seus saltos para requebrar ainda mais durante a caminhada.

Agora olha essa: uma pesquisa feita pela Universidade de Rochester, nos Estados Unidos, concluiu que os homens tendem a considerar mais atraentes e sexualmente desejáveis as mulheres que vestem vermelho. Eles fizeram nada menos do que cinco experimentos psicológicos. Em um desses testes, cópias idênticas da foto de uma mulher foram emolduradas por uma faixa colorida, ora vermelha, ora branca, ora cinza, ora azul. Em outro teste, as fotos tinham a camiseta da mesma mulher tingida digitalmente de vermelho ou de azul. Os pesquisadores perguntavam aos homens qual daquelas mulheres (que eram a mesma pessoa!) estariam dispostos a convidar para sair, ou qual era a mais bonita. As opções que envolviam o vermelho venceram.

Tenho certeza de que a melhor aposta será sempre usar um salto e uma cor que deixe você mais confiante. Mas quem sabe? Se um dia estiver em dúvida sobre um sapato de salto e uma rasteirinha ou sobre uma roupa vermelha e outra preta, aposte na ciência! Depois me conte se deu certo. Só tem uma coisa vermelha de que ninguém gosta: o batom borrado na boca. Ainda bem que hoje existem os batons de longa duração, para nos dar uma segurança a mais, mas um truquezinho legal é, depois de beijar, retocar com um de uma cor mais parecida à da sua boca. Já o salto, minha amiga... Tem que ficar com ele até o final da balada.

### ▶ Mais perto do seu estilo

*Falando em roupa, sapato e maquiagem, este é o momento ideal para mapear no seu guarda-roupa, na gaveta de lingerie, na sapateira e no porta-maquiagem absolutamente tudo o que não está em boas condições e que não favorece seu estilo, corpo e cor da pele. Aproveite e jogue fora toda calcinha furada e sutiã com o aro para fora que você tiver — afe, tenho arrepios só de pensar. Sabe um exercício legal que a minha stylist me ensinou? Todo mundo tem aquela roupa "confortável" de ficar em casa, não é? Pois é. Ela pergunta: se você tem que ir à padaria ou ao supermercado, ou se recebe uma visita inesperada, você fica vestida com essa roupa ou se troca? Se a resposta for "eu me troco", livre-se imediatamente dessas peças. Se não dá para ir à padaria, por que é que você ou o seu parceiro merecem ficar olhando para isso o dia todo? Não, não. Aliás, aproveite que já está com a mão na massa e livre-se de toda cueca horrorosa que esse homem tiver e daquelas blusas com furo — taca fora junto com as calcinhas. As roupas melhores, mas que não combinam com você, venda ou doe, e vá substituindo por peças capazes de exprimir a sua personalidade e valorizar o seu tipo físico. Mantenha o hábito de fazer essas limpezas ao menos uma vez por ano e passe a comprar conscientemente. Você vai ver que um guarda-roupa acertado, construído com escolhas bem pensadas, é um aliado e tanto da autoconfiança e da comunicação pessoal em todas as áreas de atuação.*

*Outro recurso importante para se sentir mais segura e atraente é mexer o corpo com regularidade. Alguns estudos apontam uma boa relação entre exercício físico e autoestima, e isso não se dá apenas pela transformação externa do corpo. A atividade física regula a produção de testosterona, que aumenta a disposição, melhora a libido, ajuda a emagrecer e eleva a capacidade de memória, além de ter efeito antidepressivo e cardioprotetor. Aumenta ainda a produção de serotonina, que é o hormônio do prazer, da felicidade e do bem-estar. Só vi vantagens, minha amiga.*

## SOLTEIRA NA BALADA

Vamos à prática? Agora vou falar de situações reais, começando com a paquera. Já notou que, em geral, homem sai sozinho ou, no máximo, com um amigo? As mulheres, em contrapartida, vão em bando. Sugiro que, a partir de agora, você vá em dupla também, no máximo em grupo de três. Se quiser ir em cinco e se atochar no mesmo carro (afinal, a diversão já começa aí), ao menos se separem em dois grupos menores quando chegarem à balada. Isso vai aumentar as chances de conhecer alguém — haja confiança para um homem sozinho chegar perto de um grupo de cinco ou seis mulheres. Facilite, facilite. Seja em grupo de duas ou de cinco, não fique amontoada o tempo todo e dê uma voltinha no ambiente sozinha. É, eu disse sozinha. Assim, você aparece um pouco e reconhece possíveis alvos. Depois vão as outras amigas, cada uma a seu tempo. Revezamento, mulher!

Onde estão suas mãos enquanto você conversa com as meninas? Como estão as suas pernas? E os seus ombros? O corpo não fala na balada: ele grita! Isso se chama linguagem não verbal. Deixe os braços cruzados, as pernas fechadas e os ombros caídos se quiser espantar os pretendentes. É tiro e queda. Se quiser fisgar alguém, converse com as amigas em pé, deixando as pernas levemente desencostadas, pés com a ponta para fora, e dê uma quebrada no quadril. Isso cria uma curvatura interessante e demonstra que você está disposta a conversar. Com uma mão, segure o copo perto dos seios e, com a outra, a bolsa de mão, deixando o braço relaxado, encostando na coxa. As mãos vão orientar o olhar dele, assim como o seu olhar. Mexer-se demais ou movimentar as mãos com avidez demonstra insegurança e ansiedade. Bolsinha de mão embaixo do braço, toda retraída? Jamais. Ombros para trás, mas sem estufar os seios. Queixo levemente abaixado, olhar de baixo para cima: assim, você mostra confiança e graciosidade ao mesmo tempo. Olhe para o homem que te interessa por três segundos, abaixe o olhar, converse com as meninas, volte a olhar por dois segundos, dê um sorriso de canto de boca. Usando comunicação

100% não verbal, você acaba de informar que ele pode se aproximar. Entende o jogo? Sutil, porém claro em suas intenções.

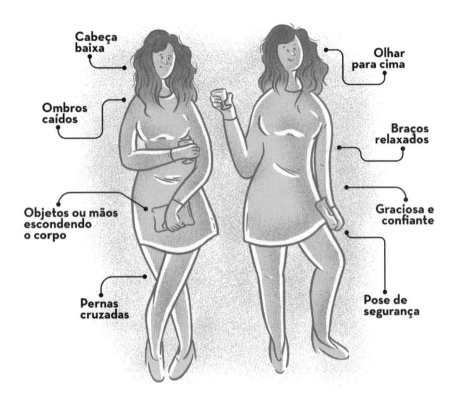

## ELE SE APROXIMOU, E AGORA?
A amiga sai de cena, claro, ou, se você for das mais ousadas, terá ido você mesma até o *boy*. Mas calma, nenhum jogo está ganho, o "ofertar e retirar" continua, vamos lá! A sua bolsa de mão é um excelente instrumento para delimitar espaços entre vocês enquanto conversam. Deixe-a de lado, delicadamente, quando a conversa engatar e quiser mostrar que não há mais obstáculos entre vocês. Sentada, cruze as pernas deixando os pés e os joelhos na direção

dele. "Fale mais, estou interessada" é o que você está dizendo. Não cruze os braços; arrume a postura, mexa levemente nos cabelos, na taça. Passe a mão pelos cabelos, mostre os pulsos (é por ali que a mulher, nesse estado de alerta para a sedução, libera feromônios, substâncias que têm a função de, vamos dizer assim, "mexer" com o cara). As mãos direcionam o olhar, lembra? Por isso, aproxime--as do rosto se quiser trazer atenção para o diálogo e evitar que o *boy* se perca com outras distrações — a depender do seu decote, fica bem fácil se distrair! Eventualmente, toque no braço ou no cotovelo dele quando estiver falando de algo interessante: isso comunica que você está permitindo mais intimidade. E já sabe: se ele tocar em você, está lhe dando a mesma permissão.

## VOCÊ VEM SEMPRE AQUI?

A linguagem do corpo é eficiente para essa primeira aproximação, e se tudo der certo ele se aproximará com a intenção de puxar papo (com sorte, não vai começar com o clichê que dá nome a esta seção!). Para que a conversa flua bem, procure fazer perguntas abertas, ou seja, perguntas que comecem com "o que", "como", "onde". A resposta vai ser uma frase completa, e não um simples "não", "não sei", "sim". Tem tanta coisa para perguntar, falar, saber! De viagem a hobby, de drinques a esportes, música, séries, memes! Só vale lembrar que esse não é um bom momento para reclamações, críticas ou discussões políticas, muito menos para falar de relacionamentos amorosos do passado. Foque em assuntos positivos. Quanto mais interessante vocês dois forem, melhor.

Uma conversa agradável apresenta pontos de acordo, e isso vai além do assunto abordado. Além de saber escutar, engrenar o tempo de fala é um deles. Se o cara é do tipo que fala energicamente, ajustar-se a essa vibração vai tornar o papo mais redondo. Esse é um gesto de simpatia, que funciona em muitas outras situações além do flerte. Preste atenção nas respostas, estabeleça o diálogo com interesse, ouça do mesmo modo como gostaria de ser ouvida (todo mundo gosta). Isso se chama escuta ativa. Para ser notada, você não precisa falar o tempo todo nem concordar com tudo, muito menos querer agradar. Seja autêntica!

## OLHO ATENTO NO MOÇO

Ao contrário das mulheres, as mãos inquietas dos homens indicam interesse. Além de gesticular mais, eles podem ficar levemente corados e com os lábios mais avermelhados. O corpo voltado para o objeto de interesse — ou seja, você — é outro bom sinal. Enquanto a gente procura manter a postura mais elegante, eles tendem a inclinar o tronco para a frente, na nossa direção. Quer outro bom indício? A cópia dos movimentos, inconsciente, chamada de espelhamento. Você pega no seu copo, ele pega no copo dele; você se ajeita, ele se ajeita. E se ele der um jeitinho de tocar no seu celular, no seu copo, saiba que ele está abrindo caminho até você. O destino? Sua pele. Ai, que divertido!

## VOCÊ PODE, E DEVE, DESISTIR

Se perceber que ele não está correspondendo bem... pule fora com elegância. Aliás, saber quando desistir é muito importante. Em uma situação na qual o homem está a fim, meio que babando pela mulher mesmo, é possível que ela caia na tentação de continuar seduzindo só por esporte — esse é, afinal, um jogo. Não gostou do papo, do cheiro, do astral? Seja honesta consigo e não enrole o moço — não perca o seu tempo nem o dele. Da mesma maneira, não se deixe enrolar caso perceba um quero-mas-não-sei-se-quero no ar. Duas pessoas curtindo o momento: é isso o que você deve buscar. A amiga estará lá para ajudar você a se safar com classe.

## FORA DA BALADA

O alvo está estabelecido, há chances, mas vocês só se encontram em ambientes zero paquera. Aquela certeza de que vai rolar está no ar, a gente só não sabe quando. "O que é que eu faço, Cátia?" Estude esse homem, minha amada! O que falta na vida dele? Uma ajuda prática com o trabalho, se for um colega do escritório. Um passeio diferente, se for um cara mais ocupado. Um convite para conhecer um restaurante novo, se for alguém que vive falando de gastronomia. Aproveite uma dica que ele deu sem nem prestar atenção, uma reunião em que vocês dois estarão... Senso de oportunidade, sempre!

## CONVITE PARA SAIR

Se ele convidou você para sair, é bem legal aceitar (é a hora da oferta). Faça-se notar, cuide bem do visual e seja descontraída, leve. Teve um dia péssimo? Desmarque o encontro ou trate de mudar o astral. Já um segundo convite... experimente recusar (é a hora de se retirar). Não estar completamente disponível vai ser lido como um desafio para ele; já a presença persistente, a ideia de que irá afugentá-lo se não responder com um "sim" imediatamente, causará o efeito contrário. É que todo mundo gosta de ganhar o jogo, mas ninguém gosta de jogo ganho. Entende a diferença? Da mesma forma, estar segura e insinuar que não depende dele é ponto positivo, mas demonstrar que não precisa dele para nada é partir para um extremo que costuma não funcionar. Se o gato for tímido e não tomar a iniciativa para te convidar, tome você a atitude, mas lembre-se de que pessoas tímidas se retraem com facilidade, então, em vez de mandar um "E aí, vamos sair hoje?", experimente um: "Acabou de sair um filme interessante que estou querendo assistir, você topa ir comigo?".

## TEXTING, SEXTING E REDES SOCIAIS

O objetivo de trocar mensagens, tão comum hoje em dia, é estabelecer uma conexão, criar uma tensão sexual (sempre bem-vinda) e receber uma resposta, é claro. Por isso, os textos trocados devem ser curtos, leves e divertidos. Use as perguntas abertas de que falei em "Você vem sempre aqui?" e evite papos muito sérios ou que gerem divergências imediatas. Vai por mim: não saia disparando memes de cara. E mantenha a autenticidade, sempre. Para que vender um peixe que você não poderá entregar? Parecer alguém que não é? Isso só vai fazer com que ele perca a confiança — e o interesse — em você. Coloque a energia certa naquilo que está buscando.

Abordar de maneira diferente abre boa vantagem. Fuja, corra, voe do óbvio! Vou te pedir um favor: nunca use "Oi, tudo bem?" no primeiro contato. Procure algo para puxar assunto direto, fazendo referência ao que viu nas redes sociais dele. "Vi suas fotos de canoagem! Que máximo. Onde você treina?" "Homem que entra na cozinha... O que você mais gosta de preparar?" Ou retome algo do primeiro encontro. "Lembra que a gente comentou sobre o filme tal? Fiquei pensando que..." Nesse momento, você não só puxou assunto como deu a entender que gostou da conversa e prestou atenção no que ele disse — o ego agradece; aliás, costumo dizer que o maior órgão sexual masculino é o ego!

Não se mostre impaciente por uma resposta. Isso entrega um desespero, dá a entender que você é insegura ou exigente demais. Na dúvida, demore o mesmo tempo que ele para responder — esse espelhamento costuma criar um ritmo bom.

O melhor horário para mandar mensagens é... a hora que der vontade. Não existe uma regra, mas procure descobrir como funciona o ritmo do *boy*, se ele é mais diurno ou noturno. Já te falei que sou noturna, né? Imagina só um *boy* me mandando mensagem às oito da manhã! Já nem respondo... Pode acontecer a mesma coisa com você. Agora, não vá ficar trocando zilhões de mensagens no horário de expediente: pode parecer que você é desocupada — ou que ele é. No início da noite, a chance de receber uma resposta é mais alta. Se for mais à noite e ele não responder, suba a antena, minha querida, porque ele pode ser comprometido. Comprometidaço! Ou pode ser que ele seja mais diurno e goste de dormir antes das dez. Enfim, você vai ter que ir testando.

Ah, a deixa! A deixa é importante. É o momento da virada. Vocês estão falando de cinema e ele traz à tona o nome de um filme que quer ver. Você responde: "Ah, esse eu também não vi ainda, estou bem a fim". Se ele não catar essa dica, convide você mesma, se for a sua vontade. Recebeu um "manda nude" de cara? Já sabe das intenções do moço com você. Avalie: é a mesma intenção que a sua? Se sim, mande as imagens conscientemente, por sua conta e risco, mas não entregue tudo de uma vez; vá devagar, criando um clima. Ou apenas comente que está saindo do banho, escolhendo a lingerie... Provoque um pouco mais, arme uma aura de mistério.

Em 2017, três universidades americanas se uniram para estudar as consequências do *sexting*, que, além de mensagens *calientes*, pode envolver a troca de nudes. Os resultados mostraram que os homens usam o recurso em relações casuais mais do que as mulheres, que preferem deixar essa intimidade para relações já estabelecidas (de novo: alô, casadas!). Metade dos mais de 350 participantes revelou ter obtido experiência positiva com a prática, tanto em aspectos sexuais como psicológicos. Quem reportou consequências negativas associou o evento às trocas dessas mensagens em relações casuais. Vale ter isso em mente antes de começar a brincadeira: saiba até onde quer ou consegue ir. Não mostre o rosto até sentir que está em território seguro, por exemplo.

Se você conheceu o *boy* via aplicativo, ou por qualquer outro meio on-line, preste atenção ao tempo certo de marcar o encontro ao vivo. Existe até estudo para isso. O *timing* ideal para o olho no olho costuma acontecer entre 17 e 23 dias depois do primeiro contato. Esse é considerado um intervalo saudável — a partir daí, uma pesquisa feita por professores de quatro diferentes universidades norte-americanas relata que a chance de se decepcionar é maior. Há uma tendência a idealizar a pessoa que está do outro lado, e as discrepâncias entre o virtual e o real se tornam maiores à medida que o tempo passa. Detalhe: os participantes da pesquisa relataram que é comum haver certa decepção com a aparência física no encontro ao vivo. O motivo — nem precisa ser acadêmico para saber — tem a ver com a turbinada que se costuma dar nas fotos do perfil.

Outro tópico atual e que merece um olhar atento são as redes sociais. Com elas, é possível saber quem está fazendo o quê, quando, onde e com quem. Cuidado com a frequência das suas postagens. Algumas pessoas são tão presentes e tão específicas em seus registros que não deixam espaço para nenhum mistério. Por outro lado, use as redes a seu favor para mostrar que tem uma vida interessante. É aquela história: não seja muito fácil, mas não seja impossível.

Você gosta de gente marcante, não gosta? Ele também deve gostar. O que essas pessoas têm de especial? São sedutoras. Sabem aparecer, iluminar o ambiente com seu carisma, falar e escutar, ser simpáticas e interessantes, mas, acima de tudo, sabem se recolher na hora certa.

## VIDA DE CASADA

Agora que já falei com as solteiras, vamos nós, as casadas, ter aquela conversinha também. O que te faz pensar que, só porque casou ou está namorando há um bom tempo, não precisa mais seduzir? E ser seduzida, hein? Por que é que quando namorava e o namorado ia na sua casa você se arrumava todinha para esperá-lo e, agora que casou, fica andando em casa com o que eu costumo chamar de "kit suicídio": calcinha bege (leia-se: qualquer calcinha esculhambada que você tiver aí), blusa de político (ou aquela das micaretas de quando vocês ainda eram solteiros) e Crocs? Minha filha, isso é a visão do inferno, ninguém merece, ninguém mesmo, inclusive você. Não quer dizer que você deva desfilar de salto alto, maquiagem ou camisola *sexy* o dia todo. A ideia é apenas não avacalhar.

Outro aspecto que muda (muitoooo) depois que um casal já está junto há bastante tempo é a comunicação. Bora evitar cair na tentação de iniciar uma conversa no jantar com lamentos sobre as dificuldades do trabalho, fofocas das amigas ou entrar em estilo pé na porta com cobranças da vida a dois? Costuma cansar a beleza de todo mundo e minar a capacidade de se sentir sedutora e de ser seduzida dali a pouco, no dia seguinte ou até na outra semana. Mesmo nos dias em que precisar lidar com essas questões, que fazem parte de qualquer relacionamento, como contas a pagar, problemas com filhos e insatisfações gerais, comece pelos assuntos leves e só depois passe para os mais tensos. É um gesto possível de ser realizado que tem muito efeito positivo para o casal e, de quebra, para a casa toda. Se ele tiver o bom senso de agir da mesma forma, aí é só sucesso, mas se ele não sacar a estratégia, vale fazer o combinado do casal: primeiro um carinho, depois a realidade.

Vamos falar de combinados e comunicação daqui a pouco, mas adianto que todo mundo que me acompanha nas redes sociais — o que agora inclui você, que não me conhecia — sabe de um acordo que tenho no meu casamento e que ensino para todo mundo: o "sexo na agenda". Como é que é? Tem que marcar na agenda o dia para fazer sexo? Não, gente, é só uma forma de dizer que eu acredito que todo casal tem que ter um momento casal durante a semana, a cada quinze dias, ou no mínimo uma vez por mês. Para ter uma chance de sair da rotina, de se encantar um com a presença do outro, para se arrumar um para o outro, para conversar sobre assuntos que não sejam aborrecimentos. Aqui em casa é proibido falar de contas e filhos quando estamos no nosso momento casal — a gente já tem a semana inteira para falar sobre isso. Se você está precisando economizar, saiba que esse momento pode ser em casa mesmo. Mandem os pequenos para a casa dos avós ou de um amigo e prepararem juntos uma refeição em casa, assistam a um filme ou não assistam a nada e só comprem uma garrafa de vinho para poder conversar. O fato é que tem que reservar um momento na agenda um para o outro, isso é importantíssimo para um relacionamento saudável e duradouro. Se eu te perguntar agora quando foi a última vez que você e seu marido saíram só para estar na companhia um do outro, sem ser data comemorativa nem evento de família nem nada, só vocês dois mesmo, você consegue se lembrar? Tem gente que não vai lembrar. Por isso, fica aqui uma sugestão: se você não se lembrou de quando foi esse momento, ou se já faz mais de trinta dias, sentem-se e marquem o dia do casal de vocês. Tem que ser no mínimo uma vez por mês, hein?! Permitam-se seduzir e reconquistar sempre.

## EM RESUMO: SEJA A SUA MELHOR VERSÃO POR DENTRO

Acredito que a energia que move o mundo é o amor. Quero dizer com isso que não adianta colocar a sedução em prática se, na hora da ação, a sua intenção não estiver voltada para os seus objetivos. Quando estiver se preparando para esses momentos: foco. É apenas sexo? É diversão? É alguém com potencial para um relacionamento? Ame-se e preserve-se em primeiro lugar. Tenha em mente, de maneira clara, o tipo de homem que quer por perto, seja no campo do relacionamento amoroso, seja no do sexo casual.

Lembre-se de que ser alto astral, bem-humorada, é um excelente ímã de pessoas, mas também de que bom-humor não é passar o dia todo contando piada de escritório. Tem mais a ver com sorrir, participar, estar interessada e ser interessante — e se divertir no processo. E, de novo, com ofertar e retirar na medida certa: dosar calor e frio.

Sem estar de bem consigo mesma, sem gostar de quem se é, ninguém seduz ninguém, porque, relembre, seduzir tem lá sua dose de cálculo de gestos, de uso das palavras, de tom de voz e de produção visual. A gente precisa estar disposta a entrar no jogo. Se você leu tudo isso e sente que não é capaz de colocar nada em prática, ou que só consegue se soltar depois de beber álcool, preste atenção. Pode ser que precise de ajuda profissional para trabalhar sua autoestima. Há várias linhas de terapia que tratam com eficiência de questões íntimas tão importantes como essa. Vale muito a pena, acredite. Você sabe bem, eu já estive em um lugar parecido e conheço a sensação de quem não acredita em si mesma e, no outro oposto, de quem se sente superbem na própria pele. Acredito que é possível fazer essa transição. Se você tem autocrítica exagerada, medo de não agradar, se não se sente merecedora de amor, teme a rejeição ou tem vergonha de mostrar quem é, procure ajuda. Atrair o cara errado — leia-se: relacionamento abusivo — é um dos perigos aos quais a mulher com baixa autoestima e que não se conhece muito bem está sujeita.

Por último, desencane. Se o alvo não te der bola, mesmo que você aplique todas as técnicas, saiba que o problema não é seu. Ele pode ter mil razões para não estar a fim e, no mais, é impossível agradar todo mundo. O *crush* sumiu? Considere livramento e deixe a fila andar. O maridão se esqueceu de um compromisso qualquer? Chame à responsabilidade, sem cair na briga. Quem tem a autoestima bem trabalhada lida de forma madura até com os desapontamentos, inevitáveis no curso da vida.

# HOMENS: QUEM SÃO? ONDE VIVEM? DO QUE SE ALIMENTAM?

"Ah, mas homem não sabe conversar!" "Nem se anima, porque homem não gosta de surpresa." "Eu sabia que isso ia acontecer, homem nenhum sabe dar presente." Quantas vezes você já disse ou ouviu frases parecidas? Minha gente, só o Brasil tem 101.591.337 pessoas do sexo masculino, de acordo com o IBGE 2018. Será mesmo que dá para colocar esses peludos todos em um balaio só? Eu acho que não. Mas ainda assim tenho certeza de que algo que nos ajudará muitíssimo a viver nossas relações de maneira mais leve é observar as características biológicas, sociais e comportamentais dos homens. Assim, a gente não espera o que eles não podem dar, ensina o que eles podem aprender e — anota essa — aprende com eles como melhorar a comunicação do lado de cá. Pronta para brincar de mito ou verdade? Então vamos lá!

### Frase 1: *Homem não sabe nem gosta de conversar*

MITO. A frase mais exata seria: homem precisa falar menos do que nós, mulheres. Existem pesquisas que comprovam que eles falam cerca de 7 mil palavras por dia, ao passo que, para nós, esse número é de, no mínimo, 14 mil, podendo chegar facilmente a 20 mil. É quase o triplo, minha gente. E olha que cada "aham", "certo", "é", "sei" que eles pronunciam gasta crédito. E por que isso acontece? As mulheres tiveram que aprender a sociabilizar desde sempre. Enquanto eles caçavam, lá na Pré--História, e eram obrigados a manter o foco para não se tornar presas fáceis, nós convivíamos mais tempo em grupo. Resumindo, éramos quem pedia açúcar na caverna da vizinha, se é que você me entende. Tivemos mais chances de desenvolver a habilidade de comunicação. Isso lá quer dizer que precisamos calar 7 mil palavras para encontrar equilíbrio na vida a dois? Ah, mas não mesmo. Essa diferença, no entanto, dá uma pista de que, talvez, seja mais interessante usar parte delas com as amigas, com os colegas de trabalho, com os filhos e, se sobrar, ligar para a mãe, as irmãs e as primas.

Tenho um truque pessoal: sempre que estou no carro, conecto o celular no *bluetooth*, deixo minhas duas mãozinhas livres para dirigir com segurança e gasto um tantão de palavras enquanto vou e volto de meus compromissos. Ligo para as amigas, me atualizo — e as atualizo — das novidades... É ótimo, leve, divertido; a gente aproveita para se conectar ainda mais. Porque, menina, olha para a minha situação: moro com cinco homens! Ainda que trocasse mil ou 2 mil palavras com cada um, não conseguiria suprir minha necessidade de falar, que deve ser bem próxima das 20 mil por dia. Imagina quem mora só com o marido... Acione o *bluetooth*, o viva-voz, a ligação de vídeo, a troca de áudios no grupo do aplicativo de mensagens. Vai por mim!

Faço minhas piadas, mas a verdade é que a questão não é apenas a quantidade de palavras. O homem é, por natureza, um solucionador de problemas objetivo — sinceramente, tem horas que eu admiro demais essa virtude. Lembro quando eu trabalhava com animação de chá de lingerie e ia até a casa das pessoas. Ainda não existia Waze; sim, sou dessa época. Conhecia todos os cantos de Brasília, mas eventualmente, quando aparecia um endereço novo, eu ligava e perguntava como chegar. Senhooor! Se fosse uma mulher dando as coordenadas, era mais ou menos assim: "Então, vem reto pela via principal, aí você vai passar um quebra-molas que fica na frente da padaria Três Corações, daí você continua reto, vai ter outro quebra-molas, esse é na frente do salão da minha amiga Fátima, ela é ótima, inclusive fiz o cabelo lá hoje pro nosso evento, daí, depois que você passar esse segundo quebra-molas…". E por aí ia. Era a instrução mais detalhada da face da Terra. Depois de certo tempo, aprendi a perguntar: "Tem algum homem aí na casa para eu fazer uma pergunta?". Oh, glória! Quando tinha, eles sucintamente respondiam: "Depois do segundo quebra-molas, vire à direita e a segunda à esquerda". Eu juro que amo essa objetividade masculina. Em qualquer situação que se apresente, a tendência deles é resolver.

Por outro lado, uma coisa que precisamos compreender sobre os homens é que aquele ditado "para bom entendedor, meia palavra basta" só funciona se o entendedor for mulher. A gente pega os dizeres nas entrelinhas, pega a informação no ar; homem não é assim. Ele precisa que o recado seja dito com clareza e, de preferência, de forma curta e objetiva, assim encerra o assunto mais rápido do que a gente, que se comunica bem com meias palavras, mas, de preferência, comenta cada detalhe do tema proposto. Então, se você for dar um recado para um homem, seja direta, esqueça as entrelinhas. Uma vez que tudo for dito e entendido, o interesse dele muda de foco. Não está convencida? Vou te dar um exemplo:

**Homem convidando alguém para tomar café:**

*"Opa! Quer um café?"*

**Mulher convidando alguém para tomar café:**

*"Opa, nossa, acabaram de fazer um cafezinho ali na copa, o cheirinho está bom, né? Será que está gostoso? Hum, deve estar quentinho ainda! Será que colocaram açúcar? Porque sabe como é, né, eu estou de dieta esta semana. E você? Está dieta também? Enfim, você quer um cafezinho?"*

São quatro palavras *versus* 49 para dizer exatamente a mesma coisa. A cabeça do homem fica perdidinha: ele não sabe se você está falando de café ou de dieta.

Outro detalhe importante é que, enquanto a memória feminina é de elefante, a dos homens é de formiga. É sério isso. Vi o resultado de uma pesquisa que mapeou os cérebros masculinos e femininos durante uma discussão. No deles, alguns poucos campos da região frontal acendiam, já o das mulheres parecia a Sapucaí em pleno Carnaval. Pipocava luz para todo lado! Os cientistas descobriram que ativamos muitas memórias do passado quando argumentamos. Os homens têm a graciosa faculdade de guardar somente fragmentos do que lhes interessa. Então, não adianta trazer de volta aquela briga de mil novecentos e bolinha. Ele simplesmente não vai lembrar nem entender como usar essa informação a essa altura do campeonato. E por falar em campeonato, se você perguntar a qualquer marmanjo os anos em que o Brasil foi campeão na Copa do Mundo, ele muito provavelmente saberá, mas não ouse perguntar o que ele jantou no sábado passado. Nós, por outro lado, não fazemos ideia da escalação de 1958 (o primeiro ano em que o Brasil foi campeão, só para você saber), mas sabemos não apenas o que todos jantaram, como a roupa que estavam vestindo e os assuntos conversados. Não tem nada de errado com nenhum dos dois, são apenas interesses diferentes. Lembre-se disso da próxima vez que forem conversar: estejam na mesma página de interesse.

Só mais um aspecto sobre homens não gostarem de conversar: essa frase está incompleta. Mais correto é dizer que homens não gostam de conversar a mesma coisa várias vezes. Para eles, resolveu está resolvido, não querem ficar retomando aquele mesmo assunto novamente. O que pode acontecer, algumas vezes, é que a mulher não fala tudo o que gostaria de ter falado e daí fica com a sensação de que não conversou. Um tempo depois, quer retomar a conversa de onde parou, mas não consegue e repete tudo de novo. Quando chega no ponto em questão, o cara já não está mais prestando atenção e as discussões se iniciam. Vamos então entender por que a gente tem sempre a sensação de que fala, fala, fala e não resolve nada? Pergunta básica: você realmente fala com clareza e de forma objetiva o que está pensando ou na maioria das vezes passa o dia pensando em mil formas de ter aquele diálogo com o parceiro, remói isso o dia todo na cabeça, de centenas de formas diferentes, a ponto de brigar com você mesma como se fosse com o outro, e aí, na hora que o outro chega, você já está tão pê da vida que a primeira frase que solta já é esbravejando alguma coisa? (Sim, eu já fiz isso e é por isso que eu sei.) Pense a respeito...

Minha dica é: tem alguma coisa importante para dizer? Espere esse homem chegar em casa, dê meia horinha para ele fazer o que quiser, falar com as crianças, brincar com o cachorro, jogar videogame, depois apresente o assunto, já editado, para ajudar o cidadão. Porque tem mais uma: a mulher que espera para conversar na hora de ir dormir corre o risco de ficar falando sozinha. Quem nunca passou por essa, por favor, se apresente. Um tempo atrás fiz um exame chamado polissonografia basal; ele serve, entre outras coisas, para determinar em quanto tempo se entra em sono profundo. Meu resultado não me surpreendeu; precisei de 57 minutos para fechar os olhos, e isso porque, como eu sabia que ia ter que fazer o exame naquela noite, passei o dia em uma faxina pesada aqui em casa, daquelas em que se arrastam todos os móveis do lugar e se limpa quase cirurgicamente cada canto para poder ficar fisicamente cansada e dormir mais rápido. O que me deixou de boca aberta foi o resultado do Robson, que dormiu em menos de sete minutos, e o recorde do Vinícius, que adormeceu em, preste atenção, dois minutinhos de nada. Cheguei ao médico cheia da razão, dizendo que meu resultado estava correto, mas que o do marido e do filho provavelmente teriam que ser refeitos, tendo em vista que ninguém — e eu fui bem enfática no *ninguém* — dorme em apenas dois minutos. Calmo estava, calmo o médico permaneceu. E disse: os exames estão corretos, a senhora nunca havia reparado que seu marido dorme antes de você? Ah, gente, é claro que eu já tinha reparado, eu só não sabia que era fisiológico; achava que era só implicância mesmo. Depois que aprendi isso, pronto, nunca mais tentei trazer conversas importantes minutos antes de dormir. Se eu não tiver opção — às vezes fico fazendo *lives* até as dez da noite no escritório, chego em casa já perto das onze e no dia seguinte tenho que acordar cedo para viajar —, peço para o marido se sentar e dou o recado da forma mais objetiva possível. Depois digo: "Agora repete". Só para ter certeza de que ele realmente entendeu o que eu quis dizer. Juro que funciona.

CONCLUSÃO: homens conseguem e gostam de conversar, mas não estão dispostos a voltar ao mesmo assunto 1 milhão de vezes, têm memória de formiga, são resolvedores de problemas e, portanto, embora concentrados, são pouco atentos aos detalhes.

## Frase 2: *Homem não gosta de surpresa*

MITO. Vamos entender uma coisa: todo mundo gosta, aliás, *precisa* de surpresa para manter um bom relacionamento. Vou explicar como isso funciona de uma forma fisiológica. Sim, vou te provar biologicamente por que tanto eles quanto nós necessitamos de surpresas para sobreviver aos relacionamentos duradouros.

O corpo humano é realmente uma máquina perfeita. Há duas substâncias que circulam livremente ali dentro: a dopamina, que é conhecida como o neurotransmissor do prazer, e a ocitocina, o hormônio do amor. A dopamina está diretamente ligada à sensação do inesperado, do que está por vir, do mistério, daquele *frisson* que o sentimento de antecipação causa, do senso de aventura... Quando a gente está no início do namoro, a dopamina está lá nas alturas, porque estamos conquistando, vivendo o inesperado. Todo dia você está conhecendo alguma coisa nova. No início, fazemos surpresas, viajamos para lugares novos, conhecemos os amigos de cada um. A dopamina está borbulhando em nossos corpos. Não há espaço para o tédio. No sexo, cada um está descobrindo os prazeres dos corpos um do outro, e é por isso que o desejo e a libido são tão intensos. É só encostar e *boom!* E aí o que acontece? O tempo passa. É inevitável. Você já conhece tudo sobre ele, e ele, sobre você. Vocês se acostumam com a presença um do outro, não tem mais novidade, acabou o mistério, a surpresa, o inesperado. Em contrapartida, surge a ocitocina, um hormônio liberado no instante em que elos e conexões estão sendo feitos; não é à toa que é ele que encharca o corpo da mulher no momento do parto, aumentando a intensidade das contrações uterinas para que o bebê venha ao mundo. É ele que faz a lactação acontecer. No momento em que você amamenta o seu bebê, um laço inquebrável se forma. Esse é o poder da ocitocina, o hormônio do vínculo, que traz aconchego, acolhimento, paz, familiaridade, afeto, amor, cuidado, pertencimento... É o hormônio da conexão intransponível. Da necessidade de segurança e estabilidade.

E é aqui que se instala um paradoxo, porque todo mundo deseja o mistério, a novidade, a surpresa, mas também a estabilidade, a previsibilidade, o afeto e a segurança de um relacionamento duradouro. O erro da maioria das pessoas é que elas afogam os relacionamentos em ocitocina pura, entregando todas as responsabilidades da felicidade ao afeto, à família, ao aconchego, à segurança do casamento. Elas acreditam que o amor é a solução de tudo. Isso é muito romântico, mas na vida real não funciona. Deixe eu te explicar uma coisa de uma vez por todas, para você nunca se esquecer: *não é o amor que sustenta o relacionamento, é o jeito de se relacionar que sustenta o amor*. Todo relacionamento precisa de doses diárias de dopamina para manter o desejo vivo, com paixão, com beijo na boca, intensidade, pegada, com sair para jantar, com presente surpresa. Não é só casa, trabalho, filho, mercado, Netflix. Esse é o caminho mais curto para você cair na rotina. E aí vem o quê? As brigas, as picuinhas. Qualquer coisinha é razão para um escândalo. Vem a crise, e por aí vai...

Espero que você tenha entendido a necessidade das surpresas no relacionamento. E antes que eu escute daqui você dizendo: "Mas só eu é que faço as surpresas aqui em casa", vou deixar um exercício que funciona superbem e vai te garantir mais um ano pela frente de muita dopamina por parte dos dois. Anote aí, ou melhor, pratique aí.

## ▶ Surpresa o ano todo

*Separe doze papéis pequenos e dois envelopes. Antes de começar, explique para a criatura o que deve ser feito. Você escreve em seis desses papéis as surpresas que gostaria que ele fizesse para você ao longo do ano — valem fantasias sexuais, filmes, restaurantes, flores, viagens. Peça a ele que faça o mesmo nos outros seis papéis. É importante que cada um leia as sugestões do outro, porque se tiver algum pedido que não esteja de acordo, a hora de negociar é esta. Ambos estão de acordo? Coloquem suas sugestões dentro do envelope e troquem. Depois, tirem par ou ímpar só para ver quem vai começar; um ficará com os meses pares e o outro, com os meses ímpares. Assim, teremos garantia de um ano inteiro cheio de surpresas e um relacionamento irrigado de dopamina. O mais legal dessa atividade é que ninguém precisa inventar nada, porque já sabe exatamente o que o outro quer. E ainda tem um bônus: como são seis as sugestões, o outro sempre terá o elemento surpresa a seu favor. É a festa da dopamina para animar os relacionamentos inundados de ocitocina! Ai que tudoooo!*

## Frase 3: Homem não sabe agradar/dar presente

MITO. O cara chega em casa e faz o seguinte convite: "Amor, vamos jantar fora hoje?". A mulher, imediatamente, já imagina o lugar, já conhece o menu do restaurante, já sabe o drinque que vai pedir, escolheu mentalmente a roupa que vestirá — tudo isso em alguns segundos antes de dizer: "Vamos!". Ele segue: "Onde você quer ir?". Aí vem o estrago. Ela responde: "Você que sabe, amor". Vai para o banho e volta de salto alto, vestido justo, acessórios lindos, cabelo escovado, perfume de festa e, enquanto vai se arrumando, vai repassando na mente a noite romântica e perfeita que terá com seu amado. Ao sair do quarto toda arrumada, encontra o marido na sala de bermuda, camisa de time e, no máximo, um par de tênis nos pés. Na cabeça dela: "Ele sabe que estou louca para conhecer aquele restaurante novo". Na cabeça dele: "Pizzaria ou dogão da esquina?". Ela olha para aquilo, respira fundo e entra no carro sem dizer uma única palavra. Ele pensa: "O que deu nessa mulher?". Quando estacionam na pizzaria — ele raciocinou que, com aquele salto, ela não conseguiria comer em pé no dogão — , ela finalmente diz, já rangendo os dentes: "Ah, não, essa pizza nem pensar, eu não me arrumei assim todinha para vir comer pizza aqui nesse fim de mundo". Percebe a perda de tempo? Ele perguntou onde você gostaria de ir e merecia uma resposta. Entenda de uma vez por todas: homem não tem bola de cristal para adivinhar o que passa na nossa mente. Você realmente vai precisar treinar esse aspecto da comunicação. Até hoje, às vezes, ainda me pego no erro de soltar uma indireta no ar: "Amor, a gente bem que podia ir ao cinema, né?". Sendo que eu já sei exatamente a que filme quero assistir e, como minha agenda é muito louca (não diferente da de muitas mulheres), já até verifiquei o horário e a sala de cinema. Quando ele responde um "aham", como a maioria dos homens responderia, como se o programa nem tivesse importância, lembro-me de que ele não é a Mãe Dináh e digo com clareza: "Na verdade, quero ir assistir ao filme *tal* que está em cartaz no cinema *xis* amanhã na sessão das nove. Vamos?". Tem que treinar, viu, amiga, porque não faz parte da nossa natureza. Como eu convivo diariamente com cinco homens, o que não me falta é oportunidade para o treino.

Quer ganhar um presente específico? Minha dica é: diga o que você quer, do que você gosta e como as coisas funcionam para você. Quer ganhar uma lingerie de presente, diga: "Um dia, quando você estiver sem ideia de presente para mim, pode escolher uma lingerie. Eu amo! Se estiver na dúvida sobre os tamanhos, é só olhar na minha gaveta". Nem todo mundo vem pronto de fábrica, e não é errado ensinar e aprender também — nunca é demais repetir.

CONCLUSÃO: homem sabe sim agradar/dar presente, só não exatamente do jeito que você gostaria. Mas a gente dá umas aulinhas...

## Frase 4: *Homem não gosta de transar no escuro*

VERDADE. Lembra da caça? Não tem árvore, céu azul ou nuvem que vá fazer esse homem virar para o lado, porque ele está de olho na caça e pronto. Homens são visuais; não é à toa que se interessam por vídeos e fotos de mulheres nuas. Ele quer te ver, oras! Já nós respondemos a outros estímulos para o sexo, como histórias sensuais, músicas e cheiros que embalem a coisa. Geralmente, mulheres que transam no escuro têm vergonha do corpo. O homem diz que você é linda, gostosa, que está com tesão. E você: "Ai, mas meu peito está caído, minha bunda está mole, estou cheia de pneuzinhos". Essa vergonha precisa ser trabalhada. O que não falta no mundo é mulher! Se aquele homem te elegeu e está ali na cama com você, é porque ele fez uma escolha e um acordo. Que tal assumir a sua metade do acordo e se entregar? Que medo tão grande é esse capaz de fazer você abrir mão de vivenciar a sua sexualidade por completo? Já conversamos bastante sobre isso no capítulo "Autoestima", mas ainda assim tem dica: aposte na penumbra.

Aumente a luminosidade progressivamente, no seu tempo. Deixe a luz do banheiro acesa, compre um abajur com *dimer* para modular a luminosidade do quarto, acenda velas no criado-mudo, "esqueça" a luz da sala acesa e a porta do quarto aberta.

CONCLUSÃO: você não precisa gostar de luz de holofote, mas se não permite que os seus contornos apareçam para o homem com quem resolveu dividir a maior intimidade física possível, precisa trabalhar essa questão. Além disso, ver o homem também é excitante!

É possível encarar esta seção como um bom exercício de empatia. Quando a gente entende como o outro funciona, coloca-se no lugar dele e trabalha com o que tem em mãos — e não com a fantasia do que poderia ser, como no caso do convite para jantar fora —, fica muito mais fácil lidar com qualquer pessoa. Vale aplicar essa lógica no trabalho, na reunião de condomínio, no grupo de oração. Você só tem a ganhar apresentando um comportamento de mulher madura (independentemente da sua idade) que não se vitimiza. Que tem atitude!

# QUEM NÃO SE COMUNICA...

Acho que chegamos a uma das partes que considero mais importantes no livro: a comunicação. Até aqui, já dei alguns exemplos da importância de nos comunicarmos com clareza. Vou dar mais um. Outro dia, peguei um voo Brasília-Guarulhos e, entre sair de casa e chegar ao hotel, foram quase seis horas só com o biscoitinho do avião. Era pouco depois de meio-dia quando fiz o *check-in*, já morrendo de fome. Ali mesmo na recepção, perguntei: "Oi, tem algum lugar para comer por aqui?". "Sim, aqui mesmo no hotel", respondeu o atendente, muito simpático. "Ah, então vocês servem almoço, que bom! Onde está o cardápio?" "Não, almoço não." Opa! Eu não queria qualquer tipo de comida, queria uma refeição. Mas que obrigação tem esse homem de adivinhar? Lembrei das minhas aulas de programação neurolinguística (PNL), que tem entre suas premissas esta frase de Richard Bandler: "O problema da comunicação está sempre no comunicador". Voltei a tentar: "Tem algum lugar aqui perto que sirva almoço?". Prontamente recebi a informação de que precisava. A gente adora falar "já disse mil vezes"; a gente tende sempre a achar que o outro "não entendeu o que eu disse", mas esse exemplo mostra como o problema pode estar em quem fala, e não em quem escuta. Esse papo meio truncado costuma acontecer nas suas conversas dentro do relacionamento? Acho que ouvi você fazendo um "viiiiixe" aí do outro lado, estou certa?

Quem não se comunica se trumbica. Se você já passou dos 40 anos, conhece essa frase, bordão do Chacrinha, citada até hoje quando o assunto é comunicação. Quem não se comunica se dá mal, em qualquer área da vida. Nos relacionamentos, é uma questão de primeira importância. Conversar, combinar, avisar e planejar: antes e durante, sempre pensando no depois.

Quantos casais você conhece que chegam a namorar por anos e se casam sem se conhecer direito, sem ter feito nenhum plano concreto para o futuro? Uma vez ouvi uma frase que não me esqueço: "Só conhecemos 20% da pessoa com a qual estamos nos casando; os outros 80% vêm com a convivência". Taí uma verdade! Não interessa por quanto tempo você namore; se um, dois, cinco ou dez anos. Quando a gente passa a morar junto é que conhece os detalhes da outra pessoa, como ela funciona, e mais, como nós agimos e reagimos a essas ações — como diriam antigamente, para conhecer alguém é preciso comer, junto com ela, um quilo de sal. No namoro, ninguém mostra seus defeitos logo de cara, leva um tempo para que isso aconteça, e, quando se briga ou discute, vai cada um para a sua casa esfriar a cabeça antes de ter que resolver a questão. Quando se está casado, ou mesmo morando junto — o que, para mim, já é casado (lembro do meu pai dizendo "juntado com fé, casado é") —, brigou ou discutiu, não tem para onde correr: vai todo mundo dormir ali na mesma casinha. O mais impressionante e, de verdade, o mais comum é que muitos (mas muitos mesmo) casais se casam sem fazer um planejamento para o futuro. Muitos resumem o planejamento à festa de casamento, à lua de mel, no máximo ao lugar onde vão morar depois de se casar. Mas e em seguida? E as coisas práticas da vida de todo mundo, de todo casal? Só depois de muita discussão, descobrem: um quer comprar uma casa na praia, ter três filhos, assar um bolo toda semana, fazer roda de violão com cantigas infantis no sábado à noite e viver de amor, enquanto o outro quer investir na carreira, conhecer todas as baladas do mundo, fazer MBA, morar fora, pular de paraquedas e correr as próximas maratonas. Cada um com a sua expectativa, crente de que divide os mesmos desejos com o outro sem ao menos se dar ao trabalho de perguntar. A chance de alguém, ou melhor, de todo mundo se frustrar nesse casamento é gigante. Não entendo como isso pode acontecer. Aliás, tenho sim uma teoria: o que mais tem no mundo é gente perdida, que sofre do que eu chamo de "síndrome de Alice". Como diria o Gato no País das Maravilhas: "Para quem não sabe aonde vai, qualquer caminho serve". Então, antes que você continue a leitura deste livro, proponho que responda a algumas perguntas reflexivas e poderosas: você sabe para onde está indo? Quais são seus planos pessoais para o próximo ano, para daqui a cinco anos e para daqui a dez anos? O que você tem feito para alcançar esses objetivos? Confesso que não são as perguntas mais fáceis de serem respondidas, mas garanto que elas vão trazer uma clareza incrível à sua vida. E digo mais: convide seu parceiro, se você já tiver um, a responder a essas mesmas perguntas. Façam primeiro de forma individual e depois troquem as informações. O resultado pode ser surpreendente. A resposta a essas perguntas vai fazer com que você se torne responsável pela busca da própria felicidade, no casamento e fora dele.

Se tem algo que aprendi foi a não me colocar em segundo lugar no relacionamento e a planejar. Isso inclui planejar a minha fala também: tenho que prever como a minha mensagem está chegando aos ouvidos do meu marido. O segredo é ter atenção.

Uma vez que a gente aciona esse mecanismo, passa a melhorar a maneira de falar com qualquer pessoa. Com empatia aliada a essa atenção toda, passamos a ouvir melhor, esperamos para responder no tempo certo, sem querer adivinhar ou completar a frase, sem prejulgar a fala da pessoa. Isso torna a conversa mais objetiva e agradável, sem ruídos de comunicação que geram mal-entendidos às vezes complicados de resolver. Quem quer sentar para almoçar não pode apenas sair perguntando "onde tem algo para comer", porque qualquer coisa de mastigar é comida; até mesmo o biscoitinho do avião.

## O PROBLEMA DA COMUNICAÇÃO ESTÁ NO COMUNICADOR

Já citei essa premissa da PNL, e resolvi repetir aqui em cima porque acho essa frase tão importante que não quero que haja dúvida. A não ser que você esteja falando com alguém que tenha algum tipo de deficiência e não consiga processar a informação que recebe, é sua responsabilidade fazer-se entender.

Vou dar um exemplo de como isso é real. Eu tenho um filho de quatro anos. Se ele quiser brincar perto da janela, de que adianta explicar que, de acordo com a lei da gravidade, se um corpo de vinte quilos cair a uma altura de trinta andares, a uma velocidade de...? Ele não vai entender. É melhor lembrar que, naquele dia que o brinquedo favorito caiu da varanda, chegou lá embaixo aos pedacinhos. Pronto, a criança tem repertório para entender isso. A gente tem habilidade — e, se não tiver, desenvolve — para alcançar o outro, mas precisa de boa vontade e atenção; precisa investir tempo e energia para estabelecer um diálogo de verdade. Com o seu parceiro é a mesma coisa: você precisa se fazer entender e, para isso, é necessário primeiro se livrar de pensamentos do tipo: "Mas eu já falei mil vezes, será que ele não entende?!". Pode até ser que ele não tenha prestado atenção ou que ele seja um grandessíssimo babaca que continua se comportando de um modo que te irrita e te magoa só para te estressar mesmo. Mas também pode ser que você não tenha sido clara o suficiente...

## O COMBINADO NÃO SAI CARO

Se precisasse explicar a um extraterrestre o que é um relacionamento afetivo, eu diria: é a arte de fazer acordos. E se houvesse tempo para alongar esse contato, acrescentaria: fazer e cumprir acordos. "Mas, Cátia, há acordos que, com o tempo, perdem o sentido", você pode estar pensando. Ainda bem, não é mesmo? Isso significa que, com o passar dos anos, as pessoas se desenvolvem, amadurecem, mudam de ideia. E é bem capaz que um plano feito há seis meses, um ano atrás, já não pareça possível, ou mesmo desejável, para um dos dois, ou até para ambos. Quando isso acontece, é melhor sentar, conversar e fazer um novo combinado do que quebrar o acordo porque você simplesmente acha que ele não serve mais.

*A quebra de um acordo, por mais que seja feita silenciosamente, se traduz em quebra de confiança. E confiança é ingrediente estrutural de um relacionamento feliz e saudável.*

Estrutural? Sim. Se a relação de um casal fosse um prédio, desses altos e vistosos das grandes cidades, a confiança seria o alicerce, a base que dá sustentação para que a construção pare em pé. Os tijolinhos são os combinados simples; as vigas e colunas são os combinados maiores. Os dois importam, mas, uma vez quebrados, vale saber que tijolos fazem menos estrago do que vigas. Não é à toa que a gente diz que "a casa caiu" quando algo não dá certo — relacionamentos incluídos aí.

O que são os grandes acordos, as colunas? É a decisão de economizar para dar entrada em um apartamento; a opção pela monogamia; o combinado de não ter filhos. São as decisões que, sem a sustentação de ambas as partes, desmoronam, deixando alguém, se não o relacionamento inteiro, prejudicado. Não precisa de muito exemplo, a gente sabe bem quais são esses acordos. Não se brinca com o sonho de ninguém.

Já os tijolinhos... Lembra da festa do meu primo, que o ex-marido achou por bem desistir de ir sem me avisar ou consultar? Esse era um tijolinho. Como ele havia quebrado muitos deles, o prédio já estava ficando sem parede. A impressão que dá — e de fato foi o que aconteceu comigo — é de que não há consideração pela outra parte e o que é decidido entre os dois não tem valor. Precisa ficar confirmando, relembrando, perguntando. E mesmo assim ainda paira aquela sensação de que haverá uma decepção a qualquer momento. É bem o comportamento de quem não confia!

Um casal sem lastro de confiança, que não sente firmeza na palavra do outro, é aquele que opera a partir da insegurança. Passam o dia a se vigiar, usam a senha do celular — que descobriram e, claro, não contaram — para verificar cada troca de mensagens; monitoram agendas, passos, inspirações e expirações. Uma engenharia que tende ao insucesso. A construção de confiança é algo que leva tempo, anos até. Mas a reconstrução, essa sim é trabalho a longuíssimo prazo.

Combinado é combinado, e quem é bem resolvida trabalha dessa forma em todos os aspectos da vida. É uma questão de maturidade, sabe? Quando eu era mais nova, se meu pai prometesse que me buscaria às 11h48 na escola, eu tomava aquilo como um compromisso muito sério e fazia de tudo para estar pronta nesse horário; fui ensinada assim. Podia cair o mundo, mas eu tinha a certeza absoluta de que às 11h48 ele estaria estacionado na porta. E assim era — isso porque, naquela época, não tinha GPS nem

Waze, mas ele dava seu jeito para cumprir nosso combinado, e eu também. E se um dia ele chegasse ao meio-dia? Provavelmente teria uma boa razão para isso, e a exceção não configura quebra de confiança. Quando a gente cumpre a nossa parte do combinado, nossa palavra passa a ter valor.

Então, resumindo: seja namoro, seja casamento, converse se fazendo entender. Ouça com atenção. Conheça os planos do seu companheiro. Planeje junto. Refaça os planos se for preciso. Mantenha a palavra nos acordos. Falando assim, parece que nem sou romântica e assino uma via do contrato de cada combinado que faço com o meu marido. Não é isso. Nós também discutimos e entramos em desacordo de vez em quando. Mas temos um norte: queremos seguir juntos, o que nos ajuda a acertar os ponteiros depois, nem que para isso a gente fique uns dias meio estranhados e... troque cartas. Você vai entender melhor mais para a frente.

## COMUNICAÇÃO ASSERTIVA

Comunicar-se de maneira eficiente resolve a vida em diversos aspectos. Na hora da sedução, na hora do sexo e também da DR. Serve para pedir aumento ao chefe, conseguir um emprego novo, ser bem atendida em restaurantes, lojas e até no temido *call center* da empresa de telefonia celular. Para educar os filhos, para não se indispor com a sogra, para evitar mal-entendidos com os amigos: comunicação. E se a chave da questão é o comunicador, então precisamos estudar como nós estamos falando, certo?

Existem três formas de se comunicar, e, sim, nós nos encaixamos em uma delas. Veja aí com qual você se identifica. Há a comunicação agressiva, a passiva e a assertiva — esta última é a meta de todos nós! Na comunicação agressiva, o comunicador geralmente fala grosso, usa bastante imperativo, fala alto e meio sem paciência, gesticula bastante, tem uma fala intimidadora.

Quando o agressivo fala, o problema é sempre o outro. A pessoa consegue o que quer? Consegue. Mas a que preço?

O passivo geralmente fala baixo, fala para dentro, demonstra insegurança, tem medo de se posicionar contrariamente a uma ideia e às vezes até de manifestar uma opinião qualquer no ambiente de trabalho, no relacionamento, na sala de aula. O medo de ser reprovado pelos outros é grande. "O que vão pensar de mim?", pensa o tempo todo. É a pessoa que engole sapo a vida toda — e eu vou te dizer: sapos costumam ser bastante indigestos. O crescimento na carreira é lento, e, no relacionamento, é a pessoa que vai ficando amuada, quieta e infeliz. Vale a pena?

O caminho do meio é a comunicação assertiva. Assertivo é sinônimo de afirmativo. Quem se comunica dessa forma transmite autoconfiança, transparência e equilíbrio, mostra que está aberto à negociação, o que é muito importante para o receptor da mensagem. É muito mais gostoso conversar com alguém assim, mas não é fácil ser essa pessoa. A teoria é que, ajustando o tom de voz, a linguagem corporal, o discurso e a disponibilidade para ouvir, há grandes chances de se dar melhor no processo de falar e ser compreendido.

Há seis pontos de atenção para colocar a comunicação assertiva em prática, você verá em seguida. O que você já faz e onde pode melhorar? Seja sincera e lembre-se: de acordo com B. F. Skinner, o criador do behaviorismo, todas as habilidades e comportamentos podem ser treinados.

Antes de falar sobre os passos importantes para estabelecer uma comunicação assertiva, faço três recomendações:

1. Marquem um horário para conversar, para que ambos se preparem para isso e não corram o risco de um estar ávido pela conversa enquanto o outro está ávido pelo episódio novo do seriado que acabou de ser lançado. É melhor que estejam na mesma página, lembra?

2. Nada de distrações — sim, estou me referindo a celular. Desligue qualquer aparelho que possa desviar a atenção.

3. Estabeleça um prazo para a conversa não se alongar a noite inteira. Serão trinta minutos, mas trinta minutos de presença 100% por parte dos dois. Garanto que rende muito mais do que duas horas de blá-blá-blá.

Vamos às ferramentas:

TOM DE VOZ: o timbre ideal não é nem muito baixo, nem muito alto. Nem doce, nem afiado demais. Projete a voz com segurança, alto o suficiente para se fazer ouvir, mas sem gritar nem se vitimizar. Se a ideia é ser afirmativa, não tem ironia nem gracinha o tempo todo.

LINGUAGEM CORPORAL: essa a gente já viu nas lições sobre sedução. A linguagem do corpo diz muito mais do que as palavras. Se você é do tipo que gesticula muito, balança o cabelo e mexe demais o corpo, talvez seja a hora de se conscientizar dos seus gestos e se acalmar. Dica: segure alguma coisa nas mãos, para evitar que elas se agitem demais na hora da conversa. As encolhidas, de cabeça baixa e cabelo escondendo o rosto, vão ter o mesmo trabalho, só que na direção contrária: abra os ombros, minha amiga. Levante o queixo. Você tem o direito de falar e de se posicionar.

ARGUMENTO PLANEJADO: escreva o que você quer dizer. Liste os pontos que devem ser tratados na conversa e depois organize a ordem da fala. Isso ajuda as mais afoitas, que pensam rápido e se perdem no próprio pensamento (eu incluída), e também as mais tímidas ou retraídas, que tendem a correr da conversa e, por isso, acabam não explorando todo o assunto. São três pontos a serem tratados? Siga a ordem a que você se propôs, lembrando de ser mais objetiva e clara no caso de seu interlocutor ser um homem (nada de ficar falando por uma hora sobre o mesmo assunto!).

A HORA DE OUVIR: pratique o que é conhecido por escuta ativa, que é escutar na essência. A sua opinião não é a única que importa, e, mesmo que você já saiba o que o outro vai dizer, a vez dele precisa ser respeitada e ouvida sem julgamento. Perceba se o que ele fala com os lábios condiz com o que está falando com o corpo.

MAIS SIM, MENOS NÃO: "Mas você ainda não comprou as frutas? Estou pedindo isso há dois dias!". Vamos limpar essa carga negativa? Use afirmações positivas: "Amor, a gente precisa das frutas para a lancheira das crianças, você consegue ir comprar ainda hoje?". Procure resolver, e não "ganhar a competição". Toda frase pode ser dita de uma forma positiva; é questão de reprogramar a mente e a habilidade de se comunicar.

AGORA REPITA: para ter certeza de que o outro realmente entendeu o que você disse, peça a ele um feedback do que acabou de ouvir. Serve nas duas vias: para você ter certeza de que compreendeu o que foi dito, repita o que o outro falou com as suas palavras. Experimente começando assim: "Então o que você está me dizendo é que...".

UMA ÚLTIMA DICA. Essa vem da comunicação não violenta, uma linha de resolução de conflitos criada pelo psicólogo norte-americano Marshall Rosenberg conhecida pela sigla CNV: é bem interessante você dizer como se sente quando o outro faz ou fala algo que te magoou, pois assim você expressa seus sentimentos. Inicie a frase assim: "Quando você faz abc, eu me sinto xyz".

## DEPOIS A GENTE CONVERSA

A conversa virou discussão, briga mesmo, ninguém se entende. Ele errou, ou você errou, não importa. O diálogo não faz mais sentido. O desejo é desfilar aquela lista de xingamentos. Há um amargo aroma de mágoa no ar. Então é hora de literalmente deixar para depois. Esse tempo serve para diminuir a tensão e esfriar a cabeça, e assim evitar um estrago ainda maior.

A fábula do travesseiro é perfeita para explicar o dano possível. Ela conta que um homem caluniou o sábio da cidade e depois, arrependido, lhe pediu perdão. O sábio disse que o perdoaria caso ele lhe fizesse dois favores. Primeiro, era preciso que levasse o seu travesseiro para a colina mais alta e lá soltasse as peninhas, deixando que o vento se encarregasse de espalhá-las. "Essa parte é moleza", o homem pensou. Quando voltou da missão, satisfeito, ouviu que para completá-la deveria voltar para a colina e recolher cada uma das penas. "Impossível, estão por toda parte", disse, espantado. Ao que o sábio respondeu: "Assim como as suas palavras: foram soltas ao vento, e agora perdemos o controle sobre elas". Pá! Aquele tapa na cara da gente.

O comportamento impensado foi estudado por pesquisadores das Universidades do Noroeste dos Estados Unidos, de Stanford e de Berkeley em 2014. Eles queriam entender como funcionavam os comportamentos negativos durante o conflito conjugal. As entrevistas, feitas ao longo de treze anos, comprovaram que, quando passamos por fortes eventos emocionais no relacionamento, temos a tendência de ativar um estado primitivo de autoproteção que nos faz ver o parceiro como uma ameaça. Isso resulta em um comportamento defensivo, crítico e desdenhoso. Nesse estado, a questão original geralmente se perde, e vencer a batalha se torna o objetivo principal. A gente já sabe como essa história termina, certo? Se o foco é apenas ganhar, todo mundo perde! Quanto mais sob controle estiver a nossa capacidade de reduzir a própria negatividade emocional, mais aberta estará a porta para uma comunicação eficaz, que caminha para a resolução do conflito.

Mas essas situações de piti existem, não podemos negar, e confesso que, por mais que eu leia e estude sobre comunicação, é claaaro que eu tenho meus ataques de fúria também. O primeiro passo é assumir que não tenho condições de conversar naquele momento. Digo: "Não quero conversar agora, depois a gente fala". E saio de perto, senão eu esgano. E quando é esse depois? Bem, aí varia de acordo com o tamanho do estrago gerado pela discussão. Pode ser um dia, dois, no máximo três — mais do que isso, corre-se o risco de engolir a raiva: indigestão na certa. Aprendi essa técnica com minha psicóloga, e hoje em dia é como eu e o Robson passamos a resolver os perrengues mais brabos, que são bem raros, mas de vez em quando ainda acontecem. Posso atestar que funciona, experimente!

### ▶ Carta da conciliação

*Brigaram feio? Ele errou? Afaste-se, recolha-se. Fique sem muito contato, falando o necessário: mostre que está precisando desse espaço, que está chateada, e aproveite para refletir sobre o que houve. Passado esse tempo — que, como eu disse, não deve exceder três dias —, escreva uma carta. É, não vale e-mail, mensagem no celular nem áudio, nada disso, tem que ser à moda antiga: papel e caneta. Sabe por quê? Escrever assim toma tempo, dá espaço para a raiva ir vazando pela tinta da caneta. Os dedinhos no teclado do celular são um perigo! Rápidos demais! E você, de cabeça ainda quente, pode espalhar as penas ao vento, apertar o botão "enviar", e aí já sabe: palavra lançada não tem corretivo, delete nem backspace que resolva. Escreva sem dó, o que vier à cabeça. Valem até xingamentos, vale tudo, põe toda a mágoa e a raiva no papel. Depois de pronta, a carta pode ter alguns destinos: você pode rasgar, queimar, tacar no lixo, socar como se fosse a cara do indivíduo (funciona com chefe também), ou você mesma pode ler, analisar, pensar e repensar sobre ela. Se optar por essa alternativa, depois das devidas observações e correções, é hora de passar tudo a limpo. Isso é bem importante: nunca entregue a primeira versão para o cônjuge; esta é só para alívio mesmo. A segunda versão é para ele ler. Indispensável: risque um traço no final, para que o sujeito dê seu visto de lido em cima e devolva a missiva, tipo bilhete de escola mesmo. Deixe a carta em um lugar pelo qual ele certamente passará nas próximas horas. No caso do Robson, por exemplo, costumo deixar no guarda-roupa, perto das camisetas da academia, e ele deixa as cartas dele perto das minhas maquiagens. Sim, porque ninguém vai entregar essa bomba em mãos, não, imagina! Vá trabalhar, fazer alguma coisa fora de casa. Dê tempo para que o outro administre essa informação. Você sabia que o pico da raiva dura noventa segundos no nosso cérebro? Um minuto e meio. Deixe esse homem ter raiva sozinho, deixe-o refletir, arrepender--se. Ele tem o direito de experimentar qualquer sensação. Quando você voltar e vir a cartinha assinada na cabeceira da cama, na mesinha da sala, ou onde ele a tiver deixado, aí sim é hora de conversar. E tem mais, conversaram? Resolveram? Acabou. Nada de reviver o assunto. A palavra já é autoexplicativa: viver novamente, doer novamente. Ninguém aqui nasceu para sofrer. A hora agora é daquele sexo da reconciliação, que costuma ser maravilhoso!*

## AS CINCO LINGUAGENS DO AMOR

Num desses tantos cursos que fiz por aí, uma descoberta realmente transformou meu relacionamento. Não apenas com o meu marido, mas com meus filhos também. Vou compartilhar um pouquinho com você, mas sugiro que leia o livro *As cinco linguagens do amor*, de Gary Chapman — mas não sem terminar o meu antes, hein? Estou de olho em você.

Sempre que falo de comunicação, gosto de mencionar esse livro, que descreve as linguagens do amor. Antes de contar quais são elas, vamos tomar como exemplo a população brasileira. Falamos todos o português, temos a capacidade de nos entender perfeitamente, certo? Mais ou menos. Uma conversa entre um surfista, um adolescente do Recife e um executivo aposentado do Rio Grande do Sul tem grande potencial para truncar, não tem? Embora todos falem o mesmo idioma, cada um possui as próprias gírias, seus vícios de linguagem, expressões locais... No relacionamento é a mesma coisa. Você pode dizer "eu te amo" para o seu parceiro mil vezes e, ainda assim, não ter o seu amor comunicado. Como se resolve isso? Chapman, ajuda aqui! É preciso falar a "linguagem amorosa" do outro, que pode ser uma destas cinco:

PALAVRAS DE AFIRMAÇÃO: se você precisa ouvir "eu te amo", se precisa falar "eu te amo", se precisa conversar sobre o que está acontecendo, como os dois estão se sentindo, do que gostam e não gostam, assim, com palavras mesmo, então esta é a sua linguagem do amor. Conheço bem, pois é a minha linguagem principal. Vale tudo o que puder ser lido também: *post-it* pela casa, mensagem no celular, áudio. A gente sente uma necessidade de falar o que sente e, consequentemente, de ouvir também.

PRESENTE: essa é uma demonstração de amor que, particularmente, me toca. É a minha segunda linguagem. Aliás, todos nós temos uma principal e uma secundária. Adoro não apenas ganhar, como dar presentes também. No dia em que batemos os 5 milhões de inscritos no canal, eu comprei uma rosa para cada um da minha equipe. Antes de entregá-las, rolou um minidiscurso de agradecimento, claro (minhas duas linguagens do amor). Devo dizer que, para quem tem o presente como linguagem, o valor é o que menos importa. A mensagem que fica é: "Puxa, ele teve o interesse de parar, pensar, escolher alguma coisa para mim. Portanto, me ama". Para você ter uma ideia, um dos presentes que o Robson me deu e que, para mim, foi um dos mais marcantes é um pendurador de porta. Sabe o que é? Aquela plaquinha que tem em hotel com o aviso de "Não perturbe". Deve ter custado cinco reais, mas a mensagem é especial: "Favor não acordar antes do meio-dia". Ah, minha cara! Amei! Não é mesmo pelo preço, e sim pelo trabalho que ele teve de escolher algo para mim ou mesmo por se lembrar de mim ao ver a plaquinha. Isso é o que verdadeiramente importa.

TOQUE FÍSICO: é dizer "eu te amo" com abraços, cafuné, aconchego, conchinha e carinhos sem ter fim. O que importa é ficar junto, coladinho, receber e oferecer contato corpo a corpo.

TEMPO DE QUALIDADE: é querer desfrutar da companhia um do outro. Quem tem essa linguagem adora fazer programas a dois. Nesse caso, a qualidade do tempo importa mais do que a quantidade; portanto, se a linguagem do seu parceiro for tempo, esqueça o celular quando estiver com ele e simplesmente esteja ali.

ATOS DE SERVIÇO: quem se identifica com essa linguagem está sempre disposto a ajudar a consertar uma lâmpada, carregar um pacote, lavar a louça. "Eu te amo tanto que dediquei meu tempo para fazer uma coisa para você." E, claro, adora receber essa dedicação de volta. Sabe aquela sua tia que adora passar a tarde cozinhando quando você diz que vai visitá-la, e ai de você se não comer do bolo que ela fez com tanto carinho? É isso: ela dedicou o tempo dela fazendo algo por você. E é assim que ela está dizendo que se importa.

O legal de saber qual é a sua linguagem do amor e qual é a do outro é perceber que podemos demonstrar nosso afeto sem necessariamente precisar falar. Quando o casal tem a mesma linguagem, é maravilhoso. O problema é quando as linguagens são opostas.

Para a minha sorte, a segunda linguagem do Robson também é presente; o problema é que a primeira linguagem dele é a minha última, e eu não sabia. Vou revelar aqui um episódio em que eu pisei gravíssimo na bola, porque ainda não tinha esse conhecimento.

Passei uma semana toda dizendo que tinha que levar o carro para arrumar. Todo dia, chegava do serviço e dizia: "Estou tão corrida essa semana, mas precisava levar o carro para arrumar". Fui deixando a semana passar, até que, na sexta-feira, quando me dirigi à garagem de casa para pegar o carro e ir trabalhar, não o encontrei. Olhei na calçada, nada. Chamei o Robson e perguntei: "Amor, cadê o meu carro?". O bichinho, todo feliz, disse: "Levei para consertar!". Isso é um ato de serviço; ele usou o tempo dele para fazer algo por mim. Mas eu dei uma bronca tão grande no coitado, que ele murchou na mesma hora. Comecei a esbravejar: "Mas como assim, você nem falou comigo, e agora eu tô atrasada blá-blá-blá". Não existia Uber na época, gente. Enquanto isso, ele me olhava com aquela cara de cachorro que caiu da mudança, todo perdido. Enfim, muito tempo depois, estudando as linguagens do amor, me lembrei dessa cena na hora! Hoje eu sei que, quando ele faz algo por mim, está dizendo que me ama. Como essa não é a linguagem com a qual me comunico (como disse, é a minha última!), para mim foi difícil aprender a falar a língua dele, mas é claro que hoje já a pratico com mais facilidade — só não é tão natural quanto falar ou comprar um presente. O importante é que tudo na vida a gente aprende, e eu me esforço. O próprio Chapman diz que "todos podemos nos tornar bilíngues".

Há muitos testes simples e gratuitos na internet que ajudam a identificar a sua linguagem. Aposto que só pela descrição você já tenha uma pista da língua que você e o seu parceiro falam. De qualquer modo, vale fazer o teste, fica muito mais fácil entender e ser entendido quando ligamos o Google Translate que existe em nós, não é?

# O RELACIONAMENTO IDEAL

Acompanhe comigo. Uma mulher cria um perfil em um aplicativo de paquera turbinando as suas qualidades e escolhe uma foto que não espelha a realidade. Um homem cria um perfil no mesmo aplicativo com foto e informações falsas. Uma mulher carente procura um grande amor na balada, desconfortável porque é a única solteira da turma. Um homem sedutor por fora, mas autoritário por dentro, acha essa mulher interessante e se aproxima. Agora me responda: qual é a chance de qualquer um desses encontros dar certo? Zero. No primeiro cenário, vejo frustração e infelicidade à vista. No segundo, um prato cheio para um relacionamento abusivo.

Em tantos anos falando sobre relacionamento e sexo e tendo eu mesma experienciado um casamento em que fui machucada de diversas formas, digo com propriedade que nós, mulheres, além de nos amarmos e nos conhecermos, precisamos aprender a racionalizar os sentimentos, por mais contraditório que isso possa parecer. É por esse motivo que começo e termino este livro falando de autoestima e autoconhecimento, pois sem isso todo o resto desanda.

Saber valorizar-se e conhecer as suas preferências em relação ao homem que quer ao seu lado não vai garantir que você seja feliz para sempre, como num conto de fadas, mas com certeza vai impedir que você entre numa fria, daquelas frias mesmo. Que seja infeliz, reconhecendo só lá na frente que não soube ler o companheiro corretamente, admitindo que ele tinha dado sinais de quem era de verdade logo no começo. Porque eles dão os sinais, e bem cedo.

Sei que falar de relacionamento abusivo tensiona o ambiente, porém, fazer esses alertas vem se mostrando cada vez mais necessário. De acordo com estimativas publicadas pela Organização Mundial da Saúde no final de 2017, aproximadamente uma em cada três mulheres em todo o mundo sofreu violência física ou sexual por parte do parceiro ou de terceiros durante a vida. Em setembro de 2019, o jornal *Folha de S.Paulo* publicou uma análise de mais de 1,4 milhão de notificações de violência doméstica registradas no Ministério da Saúde entre 2014 e 2018. Concluíram que, no Brasil, uma mulher é agredida por ao menos um homem a cada quatro minutos. Em mais da metade desses casos, o agressor é o seu atual ou ex-companheiro. É muito. São muitas. Se não é ou foi com você, é ou foi com alguém que você conhece. Precisamos nos responsabilizar pela parte que nos cabe, que é ao menos tentar evitar que isso aconteça. Identificar o problema antes que ele chegue perto demais.

Encontrar um grande amor não é fácil, mas é possível. Acredite que o mundo está recheado de homens legais, amorosos, maduros e gentis que também estão em busca de mulheres legais, amorosas, maduras e gentis. Portanto, em primeiro lugar, não procure namorado quando estiver carente. Seu faro não estará na melhor forma. Em seguida, se começou um namoro com um homem que fala demais da sua roupa ou te impede de sair com as amigas, que desencoraja sua matrícula em um curso novo ou reclama de uma viagem que já estava marcada com as amigas, não se iluda achando que é prova de amor. Prova de amor é aceitar as suas amizades — ele não precisa nem gostar da sua turma animada da escola ou da faculdade, mas é preciso respeitar essas relações antigas. Será que você está mesmo disposta a abrir mão de seu estilo e de seus amigos por um novo amor? Há uma diferença sensível entre o companheiro que um dia fala com a mulher sobre o decote exagerado, argumentando, de forma pontual, que ela não precisa se expor, e aquele que mostra incômodo recorrente e implicância com tudo o que você veste, com a escolha da cor do esmalte, com a maquiagem. No primeiro caso, acho que vale ao menos considerar o apontamento; vai que não ficou bom mesmo? Mas só a mulher sabe a resposta. No segundo, vejo problema, pois ele provavelmente a conheceu usando exatamente esse estilo, certo? Em pouco tempo, vem a ameaça: "Se você continuar vestindo esse tipo de roupa, te abandono". Opa! Talvez seja melhor mesmo abandonar: o nome disso é livramento. Esses são alertas importantes para identificar relacionamentos tóxicos. São encontros que não fazem bem a nenhuma das partes, mas principalmente às mulheres, que costumam sair prejudicadas moral e fisicamente, e ainda sofrem a ameaça de ter sua vida íntima exposta na internet. Podemos ajustar o nosso comportamento ou visual aqui e ali, se for da nossa vontade, mas não podemos aceitar que o outro imponha o seu estilo de vida nem dentro nem fora da cama. Você não pode ficar em segundo lugar.

Ah, e não se esqueça de que mãe tem "sexto sentido". Se você tem uma mãe sensata e notou que ela se incomodou com o gato da vez, dê um voto de confiança e redobre a atenção. É possível que você tenha entrado em uma furada. Amigas próximas também podem ser boas conselheiras nessa hora. A paixão atrapalha, e a razão está aí para ser usada. Isso vale para as comprometidas também.

Será que deixei você confusa falando em racionalizar o sentimento? Pois saiba que isso não só é possível como é necessário. Devemos ter clareza sobre as nossas intenções e sentimentos quando o assunto for amor. E isso começa em determinar preferências práticas. Na minha listinha, por exemplo, homens que se relacionavam com cigarro não se relacionariam comigo nem com meus filhos, mas esse é um gosto pessoal e cada um tem o seu, que isso fique bem claro. Em seguida, precisamos procurar as semelhanças mais subjetivas, como a maneira de enxergar o mundo, compartilhar os mesmos princípios. O que tem na sua lista? Vou ajudar você a fazê-la.

## ▶ Meu companheiro ideal

*Costumo dividir com as minhas alunas um questionário que ajuda a criar a lista do companheiro ideal. Se o homem passar de ano aqui, já pode ser considerado um bom pretendente. Então pegue um papel, uma caneta, e mão à obra!*

1. *Que características te incomodavam nos seus últimos relacionamentos? Há algo parecido no candidato atual?*

2. *Que traços você admira em um homem — sejam eles emocionais, comportamentais, físicos ou até mesmo profissionais? Ele os tem?*

3. *É bom de conversa? Bom ouvinte? Lembra das coisas que você contou?*

4. *As datas importantes são importantes para você? E para ele?*

5. *Vocês se divertem juntos?*

6. *Como ele trata os amigos, a família, a ex, os filhos, o garçom?*

7. *E na cama, é generoso ou autocentrado?*

8. *Pequenas delicadezas são importantes para você? E para ele?*

9. *Quão disponível ele está para você? Escapa com muita facilidade? Mau sinal. Tem 100% de disponibilidade? Pior. Cadê os outros interesses dessa pessoa?*

10. *É controlador, autoritário, manipulador, ciumento demais? Fuja, sério.*

11. *Você está esperando desse homem mais do que espera de você mesma? Opa, tem que ver isso aí!*

Ouvi de um amigo um depoimento, no mínimo, interessante. Ele estava sofrendo pelo fim de um relacionamento que lhe fazia muito bem, mas... Não fazia bem para a ex-companheira. Como ele trabalhava seis dias por semana, só tinha 24 horas para se dedicar à vida do casal. Para ela, era pouco. Eles conversaram, e ela chegou à conclusão de que continuar seria sofrer, além de se privar da oportunidade de encontrar alguém que pudesse estar mais presente. Ele entendeu e não pôde fazer nada senão concordar com ela. Os dois seguiram rumos diferentes. Imagina ir levando esse relacionamento sem previsão de solução? Não seria inteligente da parte dela, mas acontece nas melhores famílias — é o planejar, de que falamos mais cedo neste capítulo. A moça foi clara ao se posicionar; ela sabia o que queria para a vida dela. Pode parecer uma decisão fria, mas ser romântico, nesse caso, seria ingênuo. Eles teriam filhos, e ela seguiria se sentindo sozinha, infeliz, até fazer minar a energia da relação toda. O que ela, corajosa, fez, foi escolher ser feliz. Não deve ter sido fácil, mas ela claramente se responsabilizou por encontrar o seu grande amor. Essa mulher estava em um relacionamento saudável, mas não ideal. Com essa atitude, que é puro amor-próprio, ela dá pistas de que nunca entraria em um relacionamento falho ou desinteressante para ela. Vale refletir sobre isso.

## A CULPA NÃO É SUA

*"Se eu tivesse alguém para conversar, teria lidado melhor com a situação, inclusive não entraria nesse tipo de casamento. A doçura, a forma que ele me encantava no começo do namoro, foi tão linda, que me senti constrangida com o caminho que o relacionamento tomou a partir de certo ponto. Eu deixei de ter amigos, deixei de ter família, fiquei sozinha e quase enlouqueci. A única vontade que eu tinha era cavar um buraco e morar dentro dele para sempre."*

No fim de 2018, minha equipe entrevistou mulheres de todas as idades. A pergunta que provocou esse comentário foi: "Você já sofreu por amor?". Separei essa resposta porque nela há dois trechos que se repetem com grande frequência nos depoimentos de mulheres que viveram relacionamentos abusivos, aqueles em que, em vez de apenas esposa ou namorada, a mulher ganha contornos de vítima.

O primeiro trecho que se repete com frequência diz respeito à culpa: "Me senti constrangida com o caminho que o relacionamento tomou". Nós, mulheres, temos uma facilidade enorme de assumir todo e qualquer tipo de culpa. O bebê acordou à noite, a culpa é nossa. A criança ficou em recuperação, o feijão ficou salgado, o dólar subiu, a bolsa caiu, e a gente lá, levantando a mão e gritando: "Minha culpa, minha máxima culpa". Pera lá!

Não conhecemos a história completa da moça que deu o depoimento, mas se no começo do namoro ele era doce e encantador e, de uma hora para a outra, tornou-se diferente, será que é mesmo ela quem precisa se sentir constrangida? A vida nos apresenta uma série de problemas, no relacionamento e em qualquer outra área. Já disse e repito: a forma como a gente encara esse problema é que vai dar tamanho para ele e fazer com que se encaixe na gaveta dos "com saída" ou dos "sem saída". Aprendi, com o tempo, que há saída para qualquer tipo de adversidade. Meu pai costumava dizer que o que não tem solução solucionado está. Hoje traduzo esse ditado assim:

*A gente não precisa dar conta de todos os problemas do mundo. Por vezes, é preciso entrar em contato com a nossa fragilidade e se deixar ajudar.*

O segundo trecho que quero destacar diz respeito ao isolamento: "Se eu tivesse alguém para conversar, teria lidado melhor com a situação". Ela conta que deixou de ter amigos e família. Pedir ajuda, seja para a colega de trabalho, uma psicóloga, a vizinha, é fundamental. Ela entendeu isso depois que tudo estava praticamente perdido. É preciso apoio, primeiro para identificar a questão e depois para sair dela. Mesmo antes de pedir ajuda, esteja aberta para escutar o que as pessoas que te amam têm a dizer. Quase sempre tem alguém que avisa, seja numa conversa solene, seja numa indireta. A grande dor do relacionamento abusivo é a de não saber como a gente se permitiu chegar a isso. Você se vê em uma situação que parece sem saída, e aí a única vontade é mesmo a de cavar um buraco e morar ali para sempre. A paixão nos faz cegas, surdas, mudas e até burras. É importante que alguém avise, mas também é necessário que você identifique que a situação não é normal.

A violência doméstica tem um ciclo: aumento de tensão → ataque → remorso e pedido de desculpas → período de lua de mel → aumento de tensão... Os especialistas explicam que, entre o pedido de desculpas e a lua de mel, há a promessa de que aquilo nunca mais vai acontecer. Mas acontece, porque o homem violento precisa de tratamento psicológico; precisa, sim, de acompanhamento. "Nunca acredite na promessa" é a recomendação profissional. Outro dado: às vezes, só a ameaça da violência basta para controlar a vítima. Nenhuma mulher pode ser feliz em um relacionamento em que recebe ameaças. Viver sob essa tensão não faz nada bem para a saúde mental e física. Se você está lendo tudo isso e ficando com a pulga atrás da orelha — porque as mulheres podem viver anos sem perceber que estão em um relacionamento abusivo —, preste atenção na lista de características de um típico abusador: inseguro, carente, com expectativas irreais para um relacionamento, desconfiado, ciumento, ofensivo, com necessidade constante de estar certo e no controle, possessivo, tenta isolar você de amigos e familiares, reage de maneira agressiva, tem histórico de agressão, é cruel com animais ou crianças, culpa os outros pelo próprio comportamento, sofre de problemas de saúde mental não tratados, incluindo depressão ou comportamento suicida. Se desconfiar que é o caso, peça ajuda. E se estiver perto de alguém que está vivendo uma situação como essa, ofereça escuta e apoio.

Nunca vou cansar de repetir: a culpa não é da mulher. Aconteceu. E agora que aconteceu, o que você vai fazer diante dessa situação? Primeira coisa: vai pedir ajuda hoje mesmo. E depois vai viver um dia de cada vez, tentando o possível para se reerguer. Quando estive nesse lugar, tirei da necessidade de cuidar e proteger os meus filhos a força para levantar e recomeçar. Eu era responsável por dois meninos pequenos e me dei conta de que deixar que eles estivessem expostos às nossas brigas estava longe de ser saudável. Quantas vezes chorei na cama, no banho? Rezava, pensando: está pesado, eu não tenho dinheiro para pagar a água, a luz, não vou dar conta. No outro dia, acordava e via amor nos olhos deles. Amor por eles e por mim mesma, porque em algum ponto, que não sei dizer onde, eu pensei: mereço ser feliz. Você também merece, tenho certeza.

Esta seção definitivamente foi a parte mais difícil de escrever deste livro. Cheguei a pensar em não publicar, em apagar tudo, mas daí fui tomar um banho e fiz uma oração para que Deus guiasse meus dedos e meu coração durante a escrita. No banho, coloquei Beyoncé para ouvir — poderia ter colocado qualquer *playlist*, mas foi essa a escolhida. Eu queria me conectar com meu feminino e, sim, músicas me direcionam. Foi uma música que me tocou e que deixo aqui parte da letra em português para você pensar sobre ela, mas sugiro que vá ao YouTube e assista ao clipe. Se você não fala inglês, coloque a versão com legendas e sinta a emoção da diva Beyoncé ao emitir cada palavra. Quero que você faça isso independentemente de estar ou não em um relacionamento abusivo. Toda mulher merece ouvir e sentir a letra dessa música... Prepare o volume.

**Listen**
*Oh, agora estou farta de acreditar em você*
*Você não sabe o que estou sentindo*
*Sou mais do que aquilo que você fez de mim*
*Segui a voz que você me deu*
*Mas agora tenho que achar minha própria voz*
*Você deveria ter escutado, há alguém aqui dentro*
*Alguém que pensei que tinha morrido há muito tempo*
*Oh, estou gritando, e os meus sonhos serão ouvidos*

# TERMINOU, E AGORA?

Um dia, todo e qualquer relacionamento pode chegar ao fim. Da mesma forma que convém ter muita atenção no início de um namoro, é preciso estar atenta para encarar um término, motivo suficiente para provocar um luto que não deve ser ignorado. Quero dizer com isso que fingir que nada aconteceu só faz prolongar o sofrimento. Por outro lado, demorar demais para sair da fossa é muito penoso e, diria mais, danoso.

Uma psicóloga suíço-americana identificou no final da década de 1960 as cinco fases do luto. O assunto é complexo, mas faço um resumo aqui para que você entenda que há um processo a ser percorrido, e que cada um tem um tempo diferente para lidar com cada fase. Toda perda é um luto: pode ser o fim de uma amizade, de um emprego, de um bichinho de estimação, da mobilidade de uma parte do corpo... Aqui, tratarei apenas do luto pelo término de um relacionamento, mas saiba que essas fases acontecem em todos os lutos.

A primeira fase é a da *negação*: como método de defesa, você não acredita que o relacionamento chegou ao fim, pensa que ele vai ligar a qualquer minuto, não consegue nem contar para as amigas, pois não imagina sua vida sem aquela pessoa. Depois, vem a *raiva*: aquela fase em que a gente xinga muito, com altas doses de vitimismo: "Ele não podia ter feito isso comigo". Rasga todas as fotos que tinham juntos, muda o status nas redes sociais e bloqueia a criatura em todos os lugares. Em seguida, vem a barganha, a fase de *negociação*, que pode ser com o próprio ex, consigo mesma ou com sua espiritualidade: é a hora em que você desbloqueia ele das redes sociais. Geralmente, essa fase tem certo tom de humilhação: "Se você voltar comigo, eu juro que mudo". Aí, quando você percebe que o outro realmente já virou a página, vem a *depressão* — uma tristeza profunda, quando realmente caímos na real, que geralmente é a fase mais demorada. Já conheci muita gente que está há anos amarrada a essa fase. Até que, por fim, vem a *aceitação* — o arremate da turbulência que é o término de um relacionamento amoroso. Se você perceber que está demorando demais em alguma dessas fases, talvez seja legal cogitar uma ajudinha profissional para te guiar por novos caminhos, mas vou deixar uma pequena contribuição.

Passei por cada uma dessas fases do luto ainda casada. Foi um ano de sofrimento, o último deles. Quando me separei, acho que já estava inaugurando o que seria a sexta fase: a da libertação! Mas sei o quanto a fase da depressão é pesada. Tem gente que leva poucas semanas nessa, tem gente que fica dez anos estagnada na tristeza. Será que a gente não consegue colocar um prazo nisso? Prestar atenção no que estamos sentindo e também no que estamos fazendo conosco é um bom método. Se isso não for possível, pode acreditar que as amigas vão começar a alertar com carinho, com frases como "você tem que sair dessa" e até com verdades doídas, como "ele já está com outra". Faça soar o alarme e não estacione. Não se vitimize. Outra fase difícil é a da barganha, quando a mulher pode se diminuir demais ao fazer promessas e tentar convencer o homem a ficar com ela usando o sexo como desculpa, por exemplo. Vou avisar, mas acho que você já sabe: não adianta, viu?

É na fase da aceitação que a gente começa a sorrir de novo. Porque é exatamente aí que a vida começa a mudar, que os planos podem ser refeitos. O horizonte aparece novamente. Ufa! Quer acelerar o processo e sair logo dessa? Indico algumas estratégias que eu mesma usei quando meu atual marido terminou comigo — sim, o *boy* terminou comigo depois de três anos de namoro e eu, apaixonadinha, fiquei como? Arrasadérrima, e dá-lhe negação, raiva, barganha, depressão tudo com direito ao Oscar, porque eu sou assim: já que é pra sofrer, vamos sofrer direito. Ficamos um ano separados até voltarmos. E adivinhe quando foi que isso aconteceu! Quando eu já estava na fase da aceitação, tranquila da vida. Apesar de entender os motivos dele, meu coração não aceitava o término. Você também já sentiu isso? É a razão *versus* a emoção que batalham dentro de nós o tempo todo. Difícil, né? Sei que não há lista de dicas capaz de tirar a gente de um estado de tristeza para um estado de felicidade plena. Mas ela pode ajudar a encarar o processo. Se você estiver precisando de um *up*, espero que estas dicas cheguem em boa hora. São dicas simples, mas eu juro que funcionam.

### • Pratique um hobby novo.

Mas tem que ser novo mesmo. A neurociência explica que aprender mexe com o cérebro de maneira intensa, porque abre novos caminhos neurais. É a famosa mente ocupada. E mente ocupada não tem espaço de memória para processar pensamentos indevidos, como o *boy* que faz nosso coração sofrer. Vale qualquer coisa, um idioma, um esporte, turistar por uma cidade desconhecida, entregar-se a um trabalho manual novo — aliás, trabalhos manuais são excelentes porque exigem atenção focada, eu mesma sou ótima em fazer ponto-cruz (por essa você não esperava, hein? E bordo com avesso perfeito! Bordadeiras me entenderão). Aprendi a bordar durante a primeira gestação, quando eu era apenas mãe e passava o dia esperando o marido chegar em casa. O ponto-cruz me salvou e me ajudou muito em outros momentos complicados das gestações, quando eu tinha que ficar de repouso. Para a mente não ficar pensando bobeira, eu fazia ponto-cruz.

### • Busque uma rede de apoio.

Amizade é tudo nessa hora, mas, dependendo do casal e do tempo de relacionamento, há menos ou mais amigos em comum. Se vocês tiverem as mesmas amizades, faça um combinado com os amigos. Peça expressamente para que os mais próximos não contem nada sobre o ex. Preserve-se. Não deixe que o "leva e traz" de informações te machuque ainda mais. Sente que não faz muito sentido frequentar a turma agora? Afaste-se com delicadeza, avisando que você precisa de um tempo, mas que volta assim que estiver melhor. Em contrapartida, eleja seus ombros amigos, pois você vai precisar deles. Aliás, coloque o telefone de uma amiga de fé entre os favoritos do celular. Bateu a angústia, a vontade de ligar para ele? Ligue para ela.

### • Faça uma atividade física.

E é bom que seja prazerosa! Não vale malhar se você não gosta de academia. Quando a gente pratica esporte, libera endorfina e serotonina; se for algo prazeroso, esse efeito é ainda melhor. Exercitar-se faz a gente se sentir bem, disposta, respirar melhor, liberar a tensão e a tristeza. Além de aumentar a testosterona (opa! Resista à tentação de ligar para o *boy*!). Que tal uma prática nova? Já experimentei várias coisas, sou movida à novidade: *pole dance*, aula de circo, natação, ioga, luta e dança, claro. Hoje faço parte da galera do *crossfit*, adoro! Experimente o que quiser, mas vá movimentar esse corpo.

**• Ouça músicas animadas.**

Controlar os pensamentos negativos está meio difícil hoje? A deprê bateu forte? Controle ao menos a *playlist* do dia. Quais são as músicas que te alegram? Faça uma seleção alto-astral e recorra à música para mudar a vibração. Música é poderosa para isso! Eu tenho *playlist* para tudo: namorar, ler, ficar animada, desestressar, tudo! Aliás, estou escrevendo com uma *playlist* de música instrumental, para aumentar a minha concentração. A ciência já comprovou o poder da música para promover o bem-estar e fazer a frequência mental mudar, então use esse artifício a seu favor.

O fato é, minha gente, que, quando um não quer, dois não brigam. Ou: quando um não quer, dois não permanecem juntos. Quem termina pode até sofrer. Mas quem é "terminado" sofre mais. Tudo pode acontecer! O relacionamento pode voltar renovado, firme e forte, como aconteceu comigo, ou você pode conhecer alguém novo e agradecer pelo término, como acontece com tanta gente! Apenas não estacione. Nunca pare de caminhar na direção dos seus objetivos. Para isso, é preciso saber aonde se vai e planejar a ida. Se ainda não tem um norte, divirta-se, distraia-se e não deixe de aprimorar seu corpo e sua mente. É ganho na certa!

## PARA AS MULHERES QUE SÃO MÃES

Por mais magoada que você esteja, ou por menos que goste da pessoa, nunca jogue os seus filhos contra o pai. Ele não é mais o seu marido, mas será eternamente o pai da criança. E pai e mãe não se substitui. Mesmo que o novo marido assuma o papel de figura masculina em casa, é preciso que a criança entenda quem é o pai biológico, ainda que ele faça o tipo ausente. Muitas vezes o cara é um belo de um (insira o seu palavrão preferido aqui) como marido e ex-marido, mas ele pode ser um pai exemplar. E, mesmo que ele seja um pai mediano ou ausente, dificultar o acesso ao filho ou falar mal dele para a criança vai dar um nó na cabeça dos pequenos (ou não tão pequenos assim). Desde que ele não apresente perigo para a criança, não alimente sentimentos ruins. Essa briga é dos adultos; envolver a criança é, para dizer o mínimo, imaturo da parte da mulher ou do homem. Sem contar que pode ser um tiro no pé: você se resolve, conhece alguém, e não tem com quem deixar as crianças porque agora são elas que não querem mais ir para a casa do pai que você tanto critica e condena.

Não me dou muito bem com o meu ex-marido até hoje, mas tenho a consciência tranquila: ele sempre teve livre acesso às crianças. Podia pegar os meninos a hora que quisesse. Só não conseguimos fazer a guarda compartilhada porque ele não cumpria os combinados. Praticamente obriguei os meus filhos a irem para a casa do pai até os 10 anos do mais velho. Muitas vezes, eles choravam, não queriam ir. Depois dessa idade, liguei para o distinto: "Agora é com você, quando quiser vê-los, é só avisar e vir buscar". Pronto, nunca mais apareceu. Mas essa foi uma escolha dele como pai, e não foi a única decisão equivocada. No início, ele usava os pequenos para me ameaçar de alguma forma. "Você toma cuidado, porque o Dia das Mães pode cair no meu fim de semana e você vai ficar sem as crianças", ele disse certa vez. Sorte que estava ficando esperta e devolvi: "Você também toma cuidado, porque o Dia dos Pais pode cair no meu fim de semana. Tudo o que vai volta". Falei firme, mas com uma dor no coração muito grande, porque não acho justo esse tipo de fala violenta. Essas datas não se negociam. Dia das Mães é para ficar com as mães, e Dia dos Pais, com os pais; já Natal e Ano-Novo, sempre revezamos, até eles completarem os 10 anos e fazerem as suas próprias escolhas, que você já deve imaginar quais são.

Encare os seus dias sem os filhos como oportunidades para cuidar de você, para se dedicar a atividades que te ajudem a seguir em frente e deem leveza para os dias pesados de cuidados com a criança. Fazer exercício físico, sair com as amigas, viajar para algum lugar perto, fazer um trabalho voluntário ou mesmo ficar em casa em puro silêncio, se isso te trouxer paz. E pode ficar tranquila: eu asseguro que seus filhos não vão te amar menos por passar um fim de semana sem você. Eles sobrevivem, e, pasme, nós também.

Sei que encarar uma separação sozinha é difícil. Já falei e repito: apoie-se nas amigas, nos familiares próximos, faça terapia. E lembre-se de que nós nascemos sozinhas e seremos a nossa única companhia até o fim dos dias, por mais filhos e amigos que tenhamos por perto. Que dependência é essa? Por que debitar no outro toda a conta da nossa felicidade? Que outras atividades podem preencher o seu dia? Enfim: como você pode racionalizar melhor esse término e entender que ainda haverá mais histórias pela frente? Elas existem, porque a vida é surpreendente demais.

A história de uma aluna me provou isso. Ela e o marido, casados há 25 anos, vêm dormindo já há algum tempo em quartos separados, na mesma casa. Aquela coisa de sempre: o casamento esfriou, eles não conversavam mais direito e resolveram separar os corpos. Ela resolveu investir nela e comprou o meu curso on-line. Nos módulos de comunicação, achou curioso ouvir que homens são mais práticos e objetivos, que não se atêm a detalhes, que são visuais... Começou a pensar que, afinal, o modo dele de agir não era frieza, mas é que ele simplesmente não sabia como funcionava a cabeça da mulher. Então, ela teve a ideia de colocar o quase ex-marido para assistir ao curso também. "Puxa, não sabia que você pensava assim", ele comentava. Módulo vai, módulo vem... eles começaram a namorar de novo, em um esquema totalmente repensado. Marcam de se encontrar no restaurante, vão ao teatro, ao cinema, mas só se encontram fora de casa. Agora, os dois estão noivos e vão reformar a casa para poder morar juntos novamente — ou seja, dormir no mesmo quarto. Não parece coisa de filme?

*Acredito que a gente encontra a pessoa certa quando está bem consigo mesma e se conhecendo melhor.*

Foi exatamente o meu caso, e sei disso porque posso comparar a Cátia de hoje com a Cátia do primeiro casamento. Minha crença de que, tão nova e cheia de vida, precisava me agarrar àquela oportunidade de casamento, senão não haveria outra chance de felicidade para mim, me deixou atada por anos a um homem que não me valorizou. E que não tinha a ver comigo. Quando estamos bem, seguras de si, coisas boas acontecem.

Quando conheci o Robson, embora já estivesse na fase da libertação, eu não tinha o menor desejo de me relacionar novamente. Saía, me divertia sem nenhum problema, ia para o forró dançar a noite inteira, por vezes conhecia um cara aqui, outro ali, mas segundos encontros não estavam no meu radar. Ele foi ficando porque me ofereceu uma coisa que havia muito eu não tinha: *respeito*. Não foi fácil deixá-lo se aproximar, e ele se propôs a esperar. Lembro que estávamos um dia na minha casa, o negócio foi esquentando, aí eu parei a pegação dizendo que talvez já estivesse na hora de ele ir embora. Fiquei tão surpresa quando ele concordou, sem nenhum tipo de insistência, que não tive muita reação. Ele foi, mas voltou outra vez, e outra, e outra… Eu tinha muito medo de me machucar novamente. Ao me separar, fiquei com uma crença muito forte dentro de mim de que amor era sinônimo de sofrimento, e como eu não queria sofrer de novo, resistia a amar novamente. Mas uma coisa que aprendi é que eu não era a mesma pessoa, eu já não era a menina insegura de 21 anos. Eu havia me tornado uma mulher independente de 30, eu já havia aprendido a não entrar em um relacionamento abusivo de novo, e fui me permitindo experimentar o dia após dia, sem criar grandes expectativas futuras. Só queria curtir aquele momento — que estava bem gostosinho, vou confessar. O máximo que eu conseguia pensar era: "Será que a gente vai se ver no forró de novo?". Nada de semana que vem, mês que vem, daqui a dois anos. E os forrós foram virando cinemas, lanches, passeios,

passeios com as crianças, viagens sozinhos, viagens com a família, até nos casarmos e adicionarmos mais dois integrantes à nossa linda família, o Pedro Lucas e o Matheus.

É preciso que você tenha paciência, respeite o seu tempo. Para que, aos poucos, seja possível desconstruir essa crença de que todos os homens são iguais, que não prestam. Sim, tem muito homem — e mulheres também — com quem não vale a pena se relacionar. Mas acredite quando eu digo que há homens muito gente boa por aí! O Robson é um paizão, companheiro, parceiro; quando eu viajo, e viajo muito, ele cuida das crianças de boa, tranquilo. É meu suporte, minha segurança, minha calma. É a certeza de que, se der tudo muito errado lá fora, eu tenho para onde voltar, tenho um colo protetor aqui em casa. Quantas vezes não pedi e recebi colo dele? E que colo! Que privilégio ter alguém que me acolhe! Foi preciso entender que eu merecia ser feliz para encontrá-lo, ou melhor, para reconhecê-lo.

Acredito que todas merecemos ser felizes. Com todo o respeito ao Zeca Pagodinho, não foi deixando a vida me levar que cheguei onde estou. Investi pesado na construção do meu *eu*, e o resultado desse trabalho, na área do relacionamento, foi um novo e feliz encontro. Nesse processo, entendi que a mulher que percebe o seu valor faz as coisas por si e pelo outro, e não somente pelo outro. Ela escolhe até mesmo ficar só, se este for o seu real desejo. É o autoconhecimento que nos leva à libertação, e eu de verdade espero que este livro possa ter te guiado de alguma forma a olhar pra dentro de si e te ajudado a pensar ou repensar algumas questões.

Mas te acalma aí que não acabou, não, ou você acha mesmo que eu escreveria um livro inteiro sem um capítulo dedicado só a te ajudar na hora do tãnãnãnã, da nhanhação, do vuco-vuco, do sexo selvagem, ou mesmo do amorzinho gostoso que você quer fazer? Claro que não! Então te prepara que as próximas páginas são dedicadas ao nosso quadro mais famoso lá no YouTube, que virou até parte da peça: o #catiaresponde.

# #catiaresponde

Quem me conhece do canal do YouTube sabe que todos os domingos publico um vídeo do quadro #catiaresponde por lá. Já falamos sobre cada coisa... desde as dúvidas mais simples até as mais cabeludas — literalmente, viu? Esses dias me perguntaram se fazia mal descolorir os pelos das zonas baixas. Pra que isso, minha gente? Eu me divirto! Sem contar que foi de lá que saiu a palavra cherolaynne, como contei no início do livro.

Procuro explicar tudo o que posso, tento esclarecer cada uma das mensagens. Se tem uma coisa que aprendi com o #catiaresponde foi não julgar as dúvidas, os desejos e os limites de ninguém. Quando o assunto é sexo, todo esforço é válido para desmitificar e deixar de lado os medos e tabus. Para isso, informação nunca é demais.

O Levantamento Nacional de Saúde e Comportamento Sexual da Universidade de Indiana, nos Estados Unidos, publicou em 2015 um dado que ilustra a necessidade urgente de falarmos sobre sexo. Segundo o estudo, feito com mais de 1.700 pessoas, 30% das mulheres disseram ter sentido dor na última relação sexual vaginal e 72% disseram sentir dor no sexo anal. Os pesquisadores ainda se preocuparam em perguntar se elas contavam ao parceiro que estavam sentindo dor. A resposta? Não, para a maioria. Ainda temos muita lição de casa a fazer. A começar pelo básico: sexo não pode doer e só é bom se for bom para todo mundo.

Se está doendo, não precisa desistir, pois para tudo tem técnica.

*A ideia não é aprender para impressionar o parceiro — se a essa altura você ainda não entendeu isso, volte e leia o livro de novo.*

A ideia é aprender porque é gostoso, porque faz bem, porque dá prazer. Faço a você o convite para que também leia, pesquise, procure conversar com as amigas, pergunte o que for preciso e fale com o parceiro sempre.

Deixe eu fazer meu comercial: tem muito conteúdo em vídeo lá no meu canal do YouTube. Mas aproveitei que estamos juntas aqui, página a página, para fazer um compilado de respostas para dúvidas comuns, que vão de masturbação a beijo grego. Como ensinou Lulu Santos: "Vamos viver tudo o que há pra viver, vamos nos permitir...".

Nem preciso dizer que este capítulo inteiro deveria parar na mesinha de cabeceira do seu namorado, marido, daquele "amigo colorido", do P.A. (todo mundo sabe o que é, né? É o pau amigo ou, em alguns casos, a ppk amiga), do seu FGTS (que não tem nada a ver com o fundo de garantia, e sim com a Foda Garantida Toda Semana), preciso? Você aprende, e ele também.

## SE TOCA, MENINA!

**"Já tentei me masturbar algumas vezes, mas não adianta muita coisa (não sinto prazer). Isso é normal?"**

Já falamos sobre isso no capítulo "Sexualidade", eu sei. Mas nunca é demais repetir que se tocar é o caminho mais fácil para se conhecer. Mulheres que não se conhecem diminuem drasticamente as chances de terem uma vida sexual satisfatória. Essa ideia de que sexo se aprende naturalmente é tão equivocada quanto a de que o homem saberá o que fazer para te dar prazer. Ele pode até acertar, não tenho dúvida, mas, se tem alguém que precisa conhecer os caminhos para o seu orgasmo, esse alguém é você.

Gosto de pensar que uma mulher bem resolvida é como uma boa anfitriã de uma festa que ninguém quer perder. Ela está à vontade na própria casa, recebe bem os convidados, oferece um drinque enquanto segura a tacinha já pela metade, mostra os ambientes que conhece como ninguém, abre a pista de dança e deixa todo mundo com vontade de dançar também. Uma anfitriã que sabe aproveitar a própria festa.

E pode ser festão de virar a madrugada ou, para quem ainda está inibida, um happy hour mais tranquilinho. Será que é esse o seu caso? Será que se sente envergonhada enquanto se toca? Se a resposta for "sim", comece aos poucos. Em primeiro lugar, garanta a sua privacidade, assim a preocupação de ser flagrada por alguém sai de cena. Tranque a porta do quarto e tente os movimentos por cima da calcinha. Quando a vergonha já não for mais companhia, a calcinha também se despede da festa. Você já aprendeu que não precisa começar direto no clitóris, certo? Pescoço, seios, barriga, pernas, o corpo inteiro também gosta de ser tocado.

Quando estiver pronta para se dedicar ao clitóris, não esqueça que a lubrificação é convidada obrigatória, portanto, gel lubrificante à mão. O primeiro movimento aumenta a irrigação sanguínea local, ajudando nessa tarefa. Ele é simples, mas tem efeitos: pressione o clitóris com o indicador contra o ossinho do púbis, segure por cinco ou dez segundos e solte, e então volte a pressionar. Com o dedo, avance para movimentos lentos e circulares em volta do clitóris. Tente nas duas direções; há mulheres que têm sensibilidade diferente em um dos lados. O terceiro movimento é o da pinça. Abrace o clitóris com o indicador e o dedo do meio e faça movimentos de baixo para cima, acrescentando aos poucos uma pequena pressão no movimento ascendente. Essa pressão evolui para leves apertadinhas e, por fim, para o movimento em oito. Leves batidinhas, um tamborilar com os dois dedos não só no clitóris, mas nos pequenos e grandes lábios também, são mais do que bem-vindas.

Agora sim você está pronta para introduzir um dedo ou dois. A bochechinha do dedo é que vai encostar na região anterior da vagina, não as unhas — cuidado com elas. Comece com os dedos voltados para cima, na direção da barriga, é lá onde mora o ponto G. Agora é curtir a festa com movimentos de giro, um pouco mais fundo, um pouco mais externo, para um lado e para o outro. Explore essa área e aproveite!

## SEXO ORAL NELA (HOMENS, LEIAM!)

**"Cátia, e quando quem nunca quer fazer o oral é o meu marido?"**

Primeira coisa: temos que entender que tudo no sexo, mas principalmente o sexo oral, é uma via de mão dupla. Também ganha quem faz. Muito fácil o bonitão só querer receber, e o pior é que ele não está sozinho. Uma série de pesquisas aponta que, nas relações sexuais, os homens recebem sexo oral muito mais do que as mulheres. Mas a gente pode muito bem melhorar essas estatísticas. Tem que ver isso aí, minha gente! As mulheres não estão pedindo para que os homens façam sexo oral nelas? Não gostam? Ou eles é que não sabem fazer? Olha essa pergunta que apareceu, não tem muito tempo, no #catiaresponde: *A mulher consegue ter orgasmo com sexo oral?*. Ué, é mais do que possível. É inclusive mais fácil do que pela penetração! Duas lições para nós:

1. Precisamos falar mais, dizer o que queremos.

2. Se a questão for falta de técnica, é preciso aprender para ensinar. Colem em mim, que vocês passam de ano, prometo!

Quem leu o capítulo "Sexualidade" já sai na frente no "Grande Guia do Sexo Oral Inesquecível" — assim, bem pomposo mesmo. O princípio básico é: não chegar chegando. Aliás, isso vale para tudo, porque a mulher precisa de tempo, precisa ser tocada sem pressa. E, justamente porque a pressa não está nos nossos planos, procure uma posição confortável. Uma sugestão é a mulher reclinada em um sofá, por exemplo, e o homem sentado ou ajoelhado no chão. Ou ela reclinada na cama e ele deitado, posicionando a cabeça onde lhe parecer mais adequado. O importante é que todo mundo esteja disposto a se esquecer do tempo, e para isso é importante estar confortável.

Um truque bacana é usar uma pastilha mentolada. Ela aumenta a salivação e ainda dá uma sensação de frescor que pode ser uma delícia. Tudo o que provocar um novo estímulo é um bônus. Por isso mesmo, um bom sexo oral na mulher começa com uma brincadeira com os grande lábios, os pequenos lábios, uma passada de língua, uma breve massagem. A mão que estiver livre aperta a parte interna da coxa, pega na lateral do seio. Sabe por quê? O chupar, na verdade, é só uma parte do processo. E não precisa estar 100% concentrado no clitóris, dá para chupar também toda a região baixa. Mas é preciso sugar com suavidade, como quem chupa um picolé que está derretendo na boca, sabe? Vale lembrar que o clitóris tem o dobro das terminações nervosas que a glande do pênis. Então, tudo de leve. A língua também tem um papel importante, mas de novo, língua molinha, delicada, a ideia não é que ela substitua o pênis. Uma boa dica para entender que pressão e velocidade mais agradam é combinar de ele colocar o dedo na sua boca e você mostrar com a sua língua tudo o que quer que ele repita com a dele. Invista no espelhamento de movimentos, que não vai ter erro. É como colar na prova com autorização da própria professora. Aposto que ele vai tirar dez!

Agora que já falei da técnica, deixe eu fazer algumas observações. Pode ser que esse cara tenha passado por alguma experiência não muito agradável com outras parceiras, seja com a técnica, seja com os odores lá de baixo. Então é sempre bom deixar claro que você não é essa referência, que gosta sim de receber sexo oral e que está disposta a ser cobaia dele pra ele aprender.

## PROVA ORAL

**"Ouvi falar que tem homens que não curtem sexo oral com camisinha. O que fazer nesse caso, Cátia?"**

Nada. Não faz. Quando ele topar a camisinha na boa, voltem a conversar. Deixe eu te ensinar um truquezinho ou outro para você retribuir com categoria esse sexo oral com camisinha. Antes de tudo, não custa pontuar: é obrigatório gostar de sexo oral? Claro que não! Quanto mais desejo envolvido, melhor será o resultado, tanto para você quanto para ele. E isso funciona para tudo no sexo, viu, minha gente? É preciso que se esteja com vontade e à vontade. De novo, procure uma posição confortável. Gosto de pensar em uma sequência de posições em ordem crescente de assanhamento e proficiência. Ela vai da tímida, pouco experiente, até a desinibida, especialista. Quem está começando pode ficar de ladinho, cobrir metade do rosto com o cabelo. Próximo passo, deitada. Já dá para subir o olhar, encarar o parceiro, nem que seja um pouquinho. Se soltou, coloca esse homem sentado no sofá, junta umas almofadas para garantir seu conforto, capricha na calcinha fio dental, no salto, ajoelha ou fica de quatro, de frente para ele, tira o cabelo do rosto e está feita a cena. Vários fetiches masculinos contemplados em uma posição só. De cima, ele vê os seus seios, o bumbum empinado, a cintura — que, nesta posição, parece ainda mais fininha — e as pernas torneadas pelo salto. Tudo isso porque o homem é mais visual? Também. Mas o que a gente quer aqui é te presentear com o olhar de desejo dele.

Em qualquer uma das posições, assim como no sexo oral feminino, não precisa ir direto ao ponto. O plano é explorar toda a região, beijar a perna, a barriga, brincar com os testículos e lembrar de manter o contato visual. Antes de investir no movimento de sucção de fato, passe a língua na glande, suba e desça por toda extensão do pênis, de um lado e do outro, vá chupando aos poucos, e, quando a região estiver completamente lubrificada, é hora de intercalar o movimento da mão com o da boca. A masturbação entra para deixar as bochechas descansarem — já te ensino uns movimentos novos, aguenta aí. De volta, a língua se concentra no frênulo. O movimento sincronizado entre a mão e a boca também funciona que é uma beleza. Quanto maior a variedade de estímulo, melhor a experiência.

Preciso dizer que sexo oral não combina com dentes? Ou que combina perfeitamente com preservativo? Não, né? Mas vou dizer mesmo assim. Quem usar aparelho ou estiver com medo de não saber manejar pênis e dentes em uma boca só pode usar a técnica da velhinha banguela. É só cobrir os dentes com os lábios e o rosto com o cabelo — vamos combinar que não é a boca mais charmosa do mundo. Para isso não esqueça de lubrificar bastante, um gel lubrificante que esquenta ou esfria garante resultados. Variar estímulos, lembra? E a camisinha... tem que usar. Sexo oral também é porta de entrada para infecções sexualmente transmissíveis, principalmente se você tiver com alguma lesão na boca — aftas, machucados e até cáries. Mesmo que ele não ejacule durante a prática, os líquidos pré-ejaculatórios também têm carga viral. Agora, se a questão for sexo seguro e gostoso, pode ficar tranquila, o que não falta é preservativo e gel lubrificante com sabor. Varie o cardápio e divirta-se, ou melhor, divirtam-se!

## MÃOS À OBRA

*"E se as minhas bochechas ficarem muito cansadas durante o sexo oral?"*

Deixe elas descansarem um pouquinho e coloque as suas mãos para trabalhar. Antes de começar, um lembrete: se a vontade é masturbar o homem, leve a palavra "vontade" a sério. Não precisa segurar na pontinha do dedo, levinho, devagar, porque o Brad Pinto não é de porcelana, não. Pode pegar com gosto! Principalmente se o homem estiver prestes a ejacular, aí é importante manter a velocidade do movimento. A não ser que você queira retardar o orgasmo. Se for esse o caso, a ideia é fazer um anel com as mãos na base do pênis e impedir tanto a subida do sêmen quanto a descida do sangue. Como saber que ele está prestes a ejacular? Quando o homem está no pico da excitação, os testículos sobem, se escondem. Importante: não é mais hora de estimulá-los, porque a essa altura eles estarão muito sensíveis.

Dois fatores essenciais quando o assunto é masturbação:

1. **Lubrificação:** os movimentos que poderiam ser deliciosos com o pênis lubrificado se transformam rapidinho em aflição se o clima lá embaixo for de deserto.

2. **Posição:** deitada, ao lado dele, é mais confortável para você e mais prazeroso para ele, repetindo a pegada que ele faz quando se masturba, ou seja, com mais estímulo — quatro dedos para a parte anterior e o frênulo, e um dedinho para a posterior, que é menos sensível. Sobra até espaço para um beijinho na boca.

O movimento clássico, que ele conhece, costuma funcionar muito bem. Mas é possível, de novo, variar o estímulo, por exemplo abraçando o pênis com as mãos e fazendo movimentos de torção.

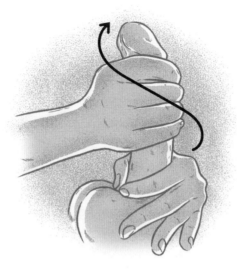

Ou você pode ainda fazer com as mãos aquele símbolo da vagina e, com ele, envolver o pênis, fazendo o movimento para cima e para baixo — com o pênis entre o polegar e o indicador —, assim você deixa os polegares livres para estimular o períneo, a virilha e a glande no caminho.

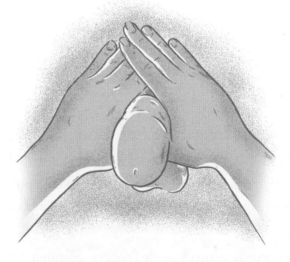

O estímulo dos polegares concentrado somente no frênulo é outro movimento interessante. Ou do indicador circulando a corona — falei que esses nomes todos seriam úteis em algum momento, não falei?

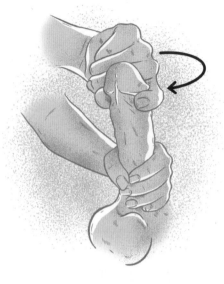

Lembra que o sangue que mantém a ereção vem de baixo para cima? O movimento com as duas mãos que se alternam nessa direção é ótimo para, além de dar prazer, tornar a ereção mais longa.

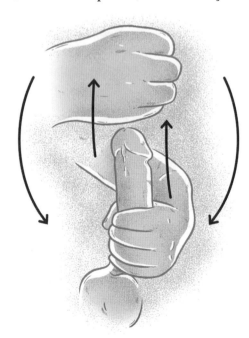

Como disse antes, os testículos também podem entrar na brincadeira. Não se esqueça de que o ideal é dar atenção a eles sempre no início da relação, para não os pegar já muito sensíveis. Com os dedos em pinça, use o polegar para fazer o caminho do períneo até o fim do testículo e o indicador para percorrer o pênis do corpo para a base. Dedilhar com a pontinha dos dedos na parte de baixo dos testículos também é gostoso.

## APROFUNDANDO A TÉCNICA

*"Uma vez, eu estava fazendo oral no meu namorado, fui inventar de colocar tudo na boca e engasguei.... Morri de rir. Como fazer para não acontecer isso?"*

No verão de 1972, foi lançado em Nova York um filme que inaugurou a era de ouro da pornografia americana. Estrelado por Linda Lovelace, o longa recebeu algumas péssimas críticas, mas foi também muito festejado por personalidades como Martin Scorsese, Brian De Palma, Truman Capote, Jack Nicholson e Frank Sinatra. Sabe que filme era esse? Acertou quem disse *Garganta profunda*.

Você nem precisa estudar o roteiro para saber o que se passa nesse filme, é ou não é? Já Linda Lovelace, nome artístico de Linda Susan Boreman, provavelmente precisou aprender uma técnica de canto para revirar a cabeça dos milhares de espectadores que ainda citam seu nome quando o assunto é garganta profunda. Cantoras e não cantoras do meu Brasil, vamos a ela!

A técnica é simples e rápida. Aliás, é preciso que seja mesmo rápida, pois trata-se de um exercício de apneia, quando se prende a respiração, o que você vai fazer durante a penetração. São três passos:

1. Abra o maxilar.

2. Eleve o palato mole (o céu da boca).

3. Desça a língua. Aposto que você testou o movimento enquanto lia, não testou? Garantindo essa sequência, o pênis não vai encostar na campainha (a goela, ou melhor, a úvula), e assim você evita o grande incômodo da garganta profunda. De novo, precisa ser rapidinho. Entrou, saiu! Não vai morrer asfixiada, pelo amor!

E é por essa razão — queremos mulheres bem resolvidas e bem vivas — que desaconselho que o homem esteja por cima. Vai que ele se empolga e você não tem força para empurrá-lo a tempo. Melhor não. A posição certeira é o 69, pois com ela você fica no controle da situação e ainda consegue ganhar cerca de um centímetro de profundidade. Querida, esse homem vai alcançar cada grave, cada agudo, que eu não quero nem pensar. Coisa de cinema!

## VOU CAVALGAR POR TODA A NOITE...

*"Cátia, sinto câimbra nas pernas na hora da cavalgada. Por que isso acontece?"*

*"Tenho um pênis de 22 centímetros. Dá para uma mulher cavalgar em cima de mim?"*

Eita! Calma. Tanto para a moça da câimbra quanto para o moço do... Bem, esse moço aí tem jeito. Deixa eu contar um pouquinho para vocês sobre a cavalgada. Essa é uma daquelas posições em que a mulher realmente domina o sexo. O que não significa que ela não possa ser muitíssimo bem aproveitada pelos homens. Mas precisa saber fazer. Esses dias um inscrito do meu canal no YouTube fez uma queixa. Para ele, as mulheres ficam ali roçando o clitóris no ossinho do púbis, o que é realmente delicioso para elas, e se esquecem de fazer o movimento de sobe e desce, que é mais gostoso para eles. Então a primeira dica de todas é não abrir mão do que é bom para você, mas alternar com o que é bom para o outro. Cientificamente falando: roça, roça, quica, quica, roça, roça, quica, quica.

"Mas, ai, Cátia, e se eu não tiver fôlego pra tudo isso?" Bom, força a gente consegue se exercitando: bora malhar, mulherada. Agora, o que você está chamando de falta de força pode ser falta de estrutura adequada. E para isso tem truque. Colchão mole, por exemplo, dificulta muito o equilíbrio. Se esse for o caso, deite o homem no chão, estique seu tapete de ioga, ou seu colchonete e — olha essa dica — use um salto alto para ajudar a manter a posição. Aproveite para fazer uma performance na descida: ele vai adorar.

Você pode pensar que um colchão mais durinho é o ideal, mas ideal mesmo é o combo colchão durinho + cabeceira. A cabeceira oferece apoio, porque é um lugar perfeito para a mulher se segurar. Ainda no quesito mobília, que tal testar uma cadeira? De rodinha não, minha filha! Uma cadeira dessas de mesa de jantar, firme. Coloque o cidadão sentado, sente-se em cima dele, pezinho no chão, mão no ombro e foi!

E não é só de pezinho no chão que se faz uma cavalgada, não. Sabe aqueles exercícios de quatro apoios da academia? Pois é, a gente não aprende nada à toa nessa vida. Joelhos apoiados no colchão, ou no chão, corpo inclinado para a frente, cotovelos ladeando o tronco dele. Com o bumbum mais empinado, seus quadris ficam liberados para o movimento de sobe e desce sem precisar somente da força do quadríceps, que é o músculo da coxa. A posição também dá espaço para o homem elevar os próprios quadris, uma ajuda superbem-vinda. Alô, moça da câimbra! O apoio do joelho também funciona quando a mulher está virada de costas. Mas aqui precisa prestar atenção: cuidado pra não ir muito para a frente, senão a brincadeira pode acabar em fratura do pênis. Já pensou?

Uma vez ali, jogue o cabelo para trás se você é da turma do cabelão. Ele cai no meio das costas, afina a cintura. Minha filha, é a visão do paraíso. "Mas, Cátia, o meu cabelo é curtinho!" Ah, passa essa mãozinha na nuca, olha para ele de vez em quando, por trás dos ombros, e pronto, o efeito é o mesmo.

Ah, e a dica para quando você tiver que encarar o moço bem-dotado é fácil. Como na cavalgada é a gente quem controla a posição, é só você saber qual é o seu limite e fazer o encaixe somente até ali.

Por último, uma dica preciosa para quem conhece os movimentos de pompoarismo. Deite o homem, sente em cima dele e mostre a que veio: paradinha, quietinha, linda, maquiada, penteada, sem cansar o quadríceps, apenas exercitando a musculatura vaginal. Aí eu vou te dizer, tudo o que ele vai querer cantar é: "E como é grande o meu amor por você..." (goste ele ou não de Roberto Carlos!).

## ANAL LEGAL

*"Será que dói?", "Como é que faz?", "Em que posição?", "E se, literalmente, der merda?", "Me ensina os truques?"*

Essas são as perguntas campeãs de audiência não só no quadro #catiaresponde, mas também nos espetáculos que apresento pelo Brasil, nas palestras e nas caixas de mensagem das minhas redes sociais. Para todas elas, a resposta é a pergunta: "Você quer mesmo?". Porque ninguém *tem que* nada. Muito menos fazer sexo anal, que, assim como qualquer prática que a gente não queira experimentar, pode causar desconforto se não for feito da maneira correta. Se você quiser experimentar, anota aí — como eu já disse, para tudo tem técnica.

O sexo anal é cheio de mitos, e o primeiro deles é que é o homem quem precisa conhecer a técnica. Na verdade, não. Os dois precisam, mas a primeira introdução vai dar bem mais certo se for a mulher a conduzir o movimento. Uma penetração descuidada — rápida ou forte demais — pode machucar.

Lembra aquela música da Ivete Sangalo que diz "é de ladinho que eu me acho"? Então, minha amiga, sintoniza essa música aí. A melhor posição para a primeira penetração é em decúbito lateral esquerdo, pois assim você retifica a ampola retal. Traduzindo: deita do lado do coração que vai dar certo. Outra coisa muito importante é lembrar que, ao contrário da vagina, o ânus não tem lubrificação natural, então um gel lubrificante é indispensável. Assim como é também indispensável o uso de preservativo. Sim, *indispensável*. Mesmo que você esteja em um relacionamento estável e já não use preservativo no sexo vaginal. Quando o homem penetra a região anal, adivinha o que tem ali? Bactérias que vivem muito bem no ânus, mas que em qualquer outra região do corpo vão causar um belo de um estrago. Quando o pênis entra em contato com essas bactérias, elas podem se instalar no orifício uretral e por ali ficar, causando algum dano ao proprietário do Brad Pinto. E mesmo que ele tome banho e lave muito bem a região, que é o mínimo que se espera, se na próxima relação que tiverem o cara ejacular na vagina da parceira, essas bactérias podem ser levadas para lá. E aí já viu: é infecção na certa. A ordem não pode ser outra: primeiro sexo vaginal e só depois anal, a não ser que ele troque a camisinha.

Também diferente das paredes da vagina, o intestino é impermeável. Se o homem ejacula sem camisinha durante o sexo anal, tudo é absorvido pelo intestino, e a mulher fica muito mais exposta a qualquer tipo de infecção sexualmente transmissível. "Ah, mas meu namorado disse que perde a sensibilidade com preservativo." Olha, não tem negociação. É uma questão de saúde.

Preservativo, lubrificação e posição garantidos, vamos ao que interessa. O ânus tem dois esfíncteres: o externo, que conseguimos controlar, e o interno, de movimentos involuntários. O início da penetração precisa contar com o relaxamento do esfíncter externo. Tem um segredo de ouro para facilitar esse relaxamento: abrir a boca (é verdade esse bilete). Basta travar o maxilar e observar o movimento do ânus: ele trava junto! Então relaxe o maxilar, introduza só um pouco do pênis, espere um pouquinho, deixe a musculatura se adaptar, e aí você, que está no controle do movimento, vai se aproximando até a penetração completa. De novo, espere mais um pouquinho e, quando sentir que acomodou, que o esfíncter interno também relaxou, vocês estão liberados para experimentar qualquer movimentação e posição que quiserem.

Algumas mulheres têm outra insegurança: "E não é sujo? Pode sair alguma coisa?". De fato, não é uma região estéril. O ânus, como falamos há pouco, está diretamente ligado ao intestino. É o caminho das fezes, e não do ouro. Se essa é uma preocupação para você, é possível fazer uma lavagem intestinal. Qualquer farmácia vende o kit enema, uma solução glicerinada que já vem pronta. Minha dica é que a lavagem seja feita com, no mínimo, duas horas de antecedência, tempo suficiente para o intestino absorver toda a solução.

Por fim, um alerta: se a ideia é comprar um brinquedinho em *sex shop* para começar a estimular a região, lembre-se de que o ânus faz um movimento de sucção com vácuo. Ou seja, puxa, com força, tudo para dentro. Então não é qualquer tipo de vibrador que pode entrar na brincadeira. Existem *toys* específicos para a região anal, inclusive dilatadores, que vão desde o pequenino até os que se assemelham ao tamanho do pênis. Aliás, para quem não está com pressa, essa é uma dica maravilhosa: vá utilizando os dilatadores anais antes de partir para a penetração com o pênis do parceiro.

RESUMÃO: muito lubrificante, preservativo sempre, de ladinho, controle a primeira penetração, espere adaptar. E se for fazer só para agradar o outro, melhor não fazer.

# UI, E AGORA?

### *"Meu namorado me pediu um beijo grego. Será que ele é gay?"*

Sexo anal ganha, com folga, o prêmio de maior mito do sexo, mas sabe quando a Beyoncé entra no palco, e atrás dela surge todo um corpo de baile repetindo a coreografia? Pois esses são os outros tabus que dançam, de mãos dadas, nas cabecinhas cheias de dúvidas das mulheres — e dos homens — que mandam suas mensagens para o meu canal. E que bom que mandam, viu?

Primeira coisa: entendam que uma coisa é orientação sexual e outra é prazer sexual. A região anal é extremamente enervada, ou seja, cheia de terminações nervosas. É exatamente por isso que pode ser tão prazeroso um estímulo nessa região, e é inclusive por isso que podemos chegar ao orgasmo por aí! Se o seu parceiro teve coragem de te pedir isso — porque, acredite, antes de chegar a pedir, ou sequer se permitir experimentar, ele mesmo já se questionou sobre a própria sexualidade, até entender que ele gosta mesmo é de mulher (isso é orientação sexual), e o ânus é só mais uma parte do corpo que dá prazer —, é porque ele confia muito em você.

O beijo grego é o melhor amigo do sexo anal: um sexo oral no ânus. Para que tudo dê certo, higiene é fundamental. A receita é uma só e chama-se banho. Tem que higienizar o local, lavar bem com sabonete íntimo, só isso. Um lembrete importante caso você queira experimentar: beijo grego não substitui o lubrificante no sexo anal, mas pode ser um ótimo primeiro passo para quem tem vontade, mas ainda se sente inibida, de explorar essa região.

## ALERTA VERMELHO

**"Dá para transar menstruada sem o parceiro perceber?"**

Olha, dá, mas por que você não quer que ele perceba? A menstruação é parte da natureza da mulher, não há razão para se envergonhar ou guardá-la em segredo. Agora, se a ideia for não ter trabalho colocando lençóis de molho, ou se o parceiro for novato e você preferir não investir tempo pensando na logística da coisa, vamos às dicas, mas não sem antes lembrar que o sangue é um ótimo meio de contágio, então repete comigo: preservativo!

A água é sua maior aliada aqui. Se você estiver no começo do ciclo, ou tiver fluxo leve, encarne a sereia Ariel e mergulhe na experiência do mar, rio, cachoeira, chuveiro ou banheira com espuma, lembrando sempre de usar um gel à base de silicone. Se, por um lado, a água diminui o fluxo, por outro ela atrapalha a lubrificação. Na falta de recurso hídrico disponível, use um coletor menstrual descartável. A diferença entre ele e o reutilizável é o formato: o descartável fica colado ao colo do útero e, por ter o local de armazenamento do sangue maleável, não bloqueia a passagem do pênis.

## CREC!

**"É verdade que o pênis pode quebrar?"**

Pênis não quebra porque não tem osso, mas são chamadas fraturas as lesões que ocorrem na camada de tecido fibroso que envolve os corpos esponjosos e cavernosos do pênis. Elas costumam ser causadas por movimentos bruscos e são fáceis de identificar. Primeiro, é possível ouvir um barulho que se assemelha ao de um osso quebrando; depois, se ficou roxo, inchou ou doeu muito, a indicação é que o homem seja levado imediatamente ao hospital. O tratamento é cirúrgico, e, quanto mais rápido for o atendimento, menores as chances de complicação.

## TAMANHO É DOCUMENTO?

### *"Um pênis pequeno é mesmo um problema?"*

Deixe eu esclarecer uma coisa para vocês: tanto mulheres quanto homens têm tamanhos e formatos diferentes. Um pênis muito grande pode dificultar o sexo tanto quanto ou até mais do que um pequeno demais. A boa notícia é que, para qualquer caso de incompatibilidade, há solução possível. Para um micropênis — que tem até dez centímetros em estado erétil — há a possibilidade de indicação de procedimento cirúrgico. De dez a doze centímetros, é considerado um pênis pequeno, mas nada que uma capa peniana não ajude, para estimular melhor a mulher. De doze a dezoito, é um pênis normal, minha gente — saiba que a média do brasileiro é de catorze e meio a dezesseis. Para um pênis com diâmetro pequeno — muito fininho —, a questão é de adaptação da largura do canal vaginal. As pompoaristas tiram essa de letra. Para um pênis muito grande, um truque que ensino é fazer um movimento com a mão, na entrada da vagina, como se fosse masturbar o homem: a mão vai funcionar como uma extensão do canal vaginal. O importante é lembrar que somos múltiplos e que todo corpo tem potencial para dar e receber prazer.

# FALHOU

## *"Meu namorado não conseguiu manter a ereção. É culpa minha? O que eu faço?"*

Amore, só existem duas certezas nessa vida: 1) todo mundo vai morrer um dia; 2) se você é homem e nunca falhou, você ainda vai falhar. E não estou colocando praga em ninguém, não. Os homens falham por diversos motivos. Para listar apenas alguns: consumo exagerado de álcool, tabagismo, uso de alguns grupos de medicamentos, condições físicas preexistentes e, o mais comum deles, bloqueio emocional. Quando a gente fica tenso, ansioso, o corpo produz adrenalina, e a adrenalina fecha os vasos sanguíneos. O que possibilita a ereção é o aumento da irrigação sanguínea no pênis, lembra? Sem irrigação, não tem ereção, simples assim. O "o que é que eu faço?" fica por conta de ajudar esse homem a relaxar. Uma dica que eu dou para todas as minhas alunas é dizer: "Fica tranquilo, que hoje eu vou te mostrar que sexo é muito mais do que penetração". Pronto, ótima oportunidade para dar uma aulinha para esse moço. Nada de puxar uma DR em uma hora dessas e jamais ironizar a situação. Se ficar recorrente, em mais da metade das relações, por exemplo, é caso de procurar um especialista. Para os homens que alegam falta de sensibilidade causada pelo uso preservativo, que desanima a ereção no meio do sexo, indico a masturbação com preservativo. É um treino — assim, o pênis se acostuma com a sensação do estímulo. Para tudo nesta vida tem jeito.

# EM FORMA

## *"Tenho tido flatos vaginais. Será que é caso de vagina flácida?"*

Ela pode, sim, estar flácida, o que não quer dizer que será assim para todo o sempre. Dependendo da posição na hora do sexo, entra um pouco de ar na vagina e, quando o homem tira o pênis, esse ar sai — é mesmo constrangedor. Há também outros sinais que podem indicar que esse músculo precisa ser fortalecido: a sensação de frouxidão, também durante o sexo, e a perda de urina. Se o xixi escapa quando você espirra, tosse, faz um exercício mais puxado na academia ou tem uma crise de riso: pompoarismo já! Aliás, pompoarismo já mesmo que você não tenha nenhum desses sinais. Trabalhar a estrutura muscular do assoalho pélvico é uma questão de prevenção, de saúde.

## FANTASIA X REALIDADE

### *"Por que não consigo fazer sexo como nos filmes pornôs?"*

Porque aquilo não existe, minha gente. Vamos lá, primeiro de tudo, ninguém consegue, nem quer, passar tanto tempo transando. Um filme de duas horas é gravado durante muitos dias, as cenas são editadas para que pareça uma sequência longa, mas nem a vagina nem o pênis sairiam ilesos de tanto contato. Aliás, saiba que todas as partes do corpo dos atores são maquiadas e manipuladas na edição. Não quero ser eu a dar a má notícia, mas aquele ânus perfeitinho que você imaginou existir, aquela vagina gordinha sem nenhuma marca, o pênis de quadrinho erótico, desculpa, mas grandes chances de serem produto de uma boa equipe de maquiagem e iluminação. Os gemidos exagerados e os xingamentos também, digo logo: não é todo mundo que gosta disso. Tentar acompanhar a variedade de posições é loucura do mesmo jeito. Imagina o outro adorando a posição, e você querendo trocar de um em um minuto para demonstrar toda sua maestria? Não, não precisa. Isso é performance e busca do ângulo perfeito para as câmeras. Já vi até um desses atores em entrevista dizendo que, com a esposa, gostava de fazer sexo mais devagar, abraçado, com muito menos malabarismo. A vida real, meninas, é muito melhor! Mas se a ideia for só tirar o relacionamento da rotina, taí uma boa pedida: que tal assistir a um filminho diferente para esquentar a relação?

## OU ISSO, OU AQUILO

### *"Se o meu namorado ejacular na minha boca, engulo ou cuspo?"*

Engolir ou cuspir, eis a questão. Dúvida que atormenta a cabeça (e a boca) de muitas mulheres. Bem, primeiro precisamos entender que o sêmen é um líquido constituído de várias substâncias, como frutose e vitaminas. "Pronto, agora vai querer me convencer de que é saudável", você deve estar aí pensando. De jeito nenhum. Essa informação é só pra tirar da sua cabeça a ideia de nojo, pois é essa a palavra que eu escuto muitas mulheres dizerem. Já ouvi muitas vezes, inclusive, que tem gosto de água sanitária. Eu, particularmente, nunca tomei água sanitária para saber que gosto tem. Mas que o sêmen muda de sabor de homem pra homem, e inclusive no mesmo homem de dia para dia, isso é um fato. E por que acontece? Devido à alimentação. Sim, há estudos que mostram que alimentos mais pesados, como carnes vermelhas e tabaco, influenciam no sabor. Esses estudos também já trouxeram alguma luz para nós: como é sabido que tem muita frutose, a dica é que o homem tome um suco bem ácido, como de abacaxi, limão ou maracujá, até umas duas horas antes da relação. Esses são alimentos ricos em frutose. Mas não vá pensando que vai ingerir porra sabor abacaxi, não é isso, só dá uma amenizada no sabor. E se mesmo com esse truque você não estiver a fim de encarar o "leitinho" do querido, tem que avisar antes para que ele sinalize quando for a hora de você se afastar, para que ele possa gozar em outra parte do seu corpo que não seja na sua boca (nem no cabelo, né, amiga). Outra dica legal para experimentar no banho: quando ele estiver perto de ejacular, abra a boca, bem embaixo do chuveiro, e deixe a água se encarregar de já ir lavando tudo. Agora que você já sabe de tudo isso, engolir ou cuspir fica a seu critério.

Saber do que gosta, e como gosta, viver as fantasias, conversar, conversar e conversar: eis a resposta para praticamente qualquer dúvida sobre sexo e para qualquer questão de relacionamento.

# E então, o que você resolveu?

Termino este livro como comecei: reiterando que o que vai fazer a diferença de verdade é a maneira como você lida com o que tem em mãos. "Experiência não é o que acontece com um homem; é o que um homem faz com o que acontece com ele". A frase ficou famosa, virou meme. O autor dela é Aldous Huxley, escritor inglês, que continua: "É um dom para lidar com os acidentes da existência, não com os acidentes em si".

O ano era 1929 quando ele a escreveu, e ainda estamos lutando para aprender essa grande lição. Esse pensamento é tão forte; gosto dele. E gosto ainda mais quando penso que não existe somente um fim na nossa vida. Passamos por muitos fins de ciclo. O fim da infância, por exemplo; as mudanças de cidade, de grupos de amigos, a conclusão de uma formação acadêmica e até mesmo o fim de um livro.

Espero que, ao chegar até aqui, você inicie um novo ciclo em sua vida. Tenho certeza de que você aproveitará para refletir sobre sua autoestima, sua maneira de se comunicar e de se relacionar. E não somente nos relacionamentos afetivos, mas também com sua família, no seu ambiente de trabalho, com os amigos.

Se foi possível conhecer melhor o seu corpo, fazer as pazes com ele, experimentar novas sensações, surpreender o seu parceiro; se mexeu alguma coisinha aí dentro que fez você terminar estas páginas sentindo-se (e agindo) diferente, melhor! Se você sair daqui uma mulher mais bem resolvida do que entrou, aí, minha amiga, eu digito este ponto final com a maior alegria do mundo.

Aliás, ponto final nada! Pontos finais só são finais na ortografia. Pula linha, abre parágrafo: nossa conversa continua lá no meu canal, nas redes sociais, no teatro e, quem sabe, até em um próximo livro...

Um beijo grande,
*Cátia*

# REFERÊNCIAS

AVEZUM, Suzana. *Avaliação da disposição para o perdão em pacientes com infarto agudo do miocárdio.* São Paulo. Universidade Santo Amaro, Mestrado em Ciências da Saúde, dez. 2018. Disponível em: <dspace.unisa.br/bitstream/handle/123456789/337/DISSERTA%-c3%87%c3%83O_FINAL.pdf?sequence=1&isAllowed=y>. Acesso em: 16 set. 2019.

CARBONARI, Pâmela. Instagram é a rede social mais nociva à saúde mental, diz estudo. *Superinteressante,* 19 maio 2017. Disponível em: <super.abril.com.br/sociedade/instagram-e-a-rede-social-mais-prejudicial-a-saude-mental>. Acesso em: 16 set. 2019.

CARVALHO, Gustavo. *Perdão, neurociência e coaching.* 2 ago. 2015. Disponível em: <youtube.com/watch?v=wlS1L7f9uZE>. Acesso em: 16 set. 2019.

CHAPMAN, Gary. *As cinco linguagens do amor.* São Paulo: Mundo Cristão, 2013.

CONSELHO NACIONAL DE JUSTIÇA. Brasil tem 5,5 milhões de crianças sem pai no registro. *UOL Notícias,* 11 ago. 2013. Disponível em: <noticias.uol.com.br/ultimas-noticias/agencia-estado/2013/08/11/brasil-tem-55-milhoes-de-criancas-sem-pai-no-registro.htm>. Acesso em: 16 set. 2019.

CUBAS, Marina Gama; ZAREMBA, Júlia; AMÂNCIO, Thiago. Brasil registra 1 caso de agressão a mulher a cada 4 minutos, mostra levantamento. *Folha de S.Paulo,* 9 set. 2019. Disponível em: <folha.uol.com.br/cotidiano/2019/09/brasil-registra-1-caso-de-agressao--a-mulher-a-cada-4-minutos-mostra-levantamento.shtml>. Acesso em: 16 set. 2019.

DAMASCENO, Cátia. *Coisas que eu nunca faria...* 27 abr. 2017. Disponível em: <youtube.com/watch?v=bmC0s1sksBc>. Acesso em: 16 set. 2019.

_____. *Como superar as crises no relacionamento.* 20 abr. 2017. Disponível em: <youtube.com/watch?v=SnRGgSBtwVg>. Acesso em: 16 set. 2019.

_____. *Como superar o fim de um relacionamento!?* 4 abr. 2016. Disponível em: <youtube.com/watch?v=QEpvHD_kApE>. Acesso em: 16 set. 2019.

DROUIM, Michelle; COUPE, Manda; TEMPLE, Jeff R. Is sexting good for your relationship? It depends... *Science Direct,* Elsevier, v. 75, p. 749-56, 14 jun. 2017. Disponível em: <sciencedirect.com/science/article/pii/S0747563217303898?via%3Dihub>. Acesso em: 16 set. 2019.

ELLIOT, Andrew; NIESTA, Daniela. Psychological study reveals that red enhances men's attraction to women. *Journal of Personality and Social Psychology,* Rochester, University of Rochester, 28 out. 2008. Disponível em: <rochester.edu/news/show.php?id=3268>. Acesso em: 16 set. 2019.

FERREIRA, Ivanir. Perfil sexual dos brasileiros revela diferenças entre homens e mulheres. *Jornal da USP,* São Paulo, 24 jun. 2016. Disponível em: <jornal.usp.br/ciencias/

ciencias-da-saude/perfil-sexual-dos-brasileiros-revela-diferencas-entre-homens-e-mu-lheres>. Acesso em: 16 set. 2019.

GANDHI, Mahatma. *Interview to the Press*. Karachi: Young India, 2 abr. 1931.

GOLEMAN, Daniel [1995]. *Inteligência emocional*. Rio de Janeiro: Objetiva, 1996.

GREENBERG, Melanie. Research Shows One Skill Can Keep Your Relationship Happy. *Psychology Today*, 21 dez. 2018. Disponível em: <psychologytoday.com/us/blog/the-min-dful-self-express/201812/research-shows-one-skill-can-keep-your-relationship-happy>. Acesso em: 16 set. 2019.

GROYECKA, Agata et al. Attractiveness is multimodal: beauty is also in the nose and ear of the beholder. *Frontiers in Psychology*, 18 maio 2017. Disponível em: <frontiersin.org/arti-cles/10.3389/fpsyg.2017.00778/full>. Acesso em: 16 set. 2019.

HERBENICK, Debby et al. Pain experienced during vaginal and anal intercourse with other-sex partners: findings from a nationally representative probability study in the United States. *The Journal of Sexual Medicine*, Elsevier, v. 12, n. 4, p. 1040-51, abr. 2015.

HUXLEY, Aldous. *Text and pretext*: an anthology with Commentaries. Harper & Bro-thers, 1933

KEGEL, Arnold. Step-by-step guide to performing Kegel exercises. *Harvard Health Pu-blishing*, jan. 2015. Disponível em: <health.harvard.edu/bladder-and-bowel/step-by-step-guide-to-performing-kegel-exercises>. Acesso em: 16 set. 2019.

KÜBLER-ROSS, Elisabeth. *On death and dying*. Nova York: Scribner Book Company, 1969.

MOORE, Monica M. Human nonverbal courtship behavior. A brief historical review. *The Journal of Sex Research*, v. 47, n. 2-3, p. 171-80, 30 mar. 2010. Disponível em: <pdfs.seman-ticscholar.org/f850/8387ff914f2f1fc2f006783b3316c76fe28b.pdf>. Acesso em: 16 set. 2019.

MORRIS, Paul H. et al. High heels as supernormal stimuli: how wearing high heels af-fects judgements of female attractiveness. *Evolution and Human Behavior*, Elsevier, v. 34, n. 3, p. 176-181, maio 2013. Disponível em: <sciencedirect.com/science/article/abs/pii/S1090513812001225?via%3Dihub>. Acesso em: 16 set. 2019.

ORGANIZAÇÃO PAN-AMERICANA DA SAÚDE. *Folha informativa* — Violência contra as mulheres. Atualizada em nov. 2017. Disponível em: <paho.org/bra/index.php?option=-com_content&view=article&id=5669:folha-informativa-violencia-contra-as-mulheres&I-temid=820>. Acesso em: 16 set. 2019.

RAMIREZ, Artemio et al. When online dating partners meet offline: the effect of modality switching on relational communication between online daters. *Journal of Computer-Media-ted Communication*, Oxford University Press, v. 20, n. 1, p. 99-114, 1 jan. 2015. Disponível em: <onlinelibrary.wiley.com/doi/full/10.1111/jcc4.12101>. Acesso em: 16 set. 2019.